マンガでわかる

統計学

高橋　信／著

トレンド・プロ／マンガ制作

Ohmsha

まえがき

本書は統計学の入門書です。

読者として、

●卒論や仕事でデータ分析をおこなう必要のある方々

●いまのところデータ分析の必要は別段ないけれども統計学の世界を試しに覗いてみたい方々

を想定しています。統計学をひととおり勉強した方々ももちろん大歓迎です。

統計学は、数学の中でも「生活」「仕事」に密着したジャンルです。統計学の知識を身につけておくと、たとえば

●学園祭に出店予定の焼きそば屋で何パック売れるか予測できたり

●資格試験に合格できそうかどうか予測できたり

●薬剤Xを投与した場合としない場合の生存率を比較できたり

して、なにかと便利です。

本書は7章まであります。各章は原則として

●マンガ部分

●マンガ部分を補足する文章部分

●例題と解答

●まとめ

という構成からなります。この構成にしたがわない章もあります。

マンガ部分を読むだけでも知識が身につくようになっています。それ以外の部分を読めば知識に深みが増します。

統計学っておもしろいなあ、役に立つなあ、読後にそう思っていただければこれほどうれしいことはありません。

私に執筆の機会をくださった株式会社オーム社開発局の皆様にお礼申し上げます。私の原稿のマンガ化に尽力された株式会社トレンド・プロの皆様、シナリオを担当されたre_akino氏、作画を担当された井上いろは氏にお礼申し上げます。原稿の執筆に際しさまざまなアドバイスをくださった立教大学社会学部の酒折文武先生にお礼申し上げます。

2004年7月

高橋　信

目　次

◆プロローグ◆

トキメキ統計学♥

ただいまー
おじゃまします
おかえりなさい
部下の五十嵐くんだ
近くで飲んでたから
招待したんだ
はじめ
まして
どうぞどうぞ
狭い家ですが…
?
か…
かっこいい！

ただいま、ルイ！
彼は部下の
五十嵐くんだ
こんばんは
どーぞ♡
どーぞ♡
ど、どーも
どーぞ♡
可愛い
お嬢さん
ですね──
もう！
おだてないで
くださいよ〜
あたってますけどー
ところで五十嵐さんは
どんなお仕事
されているんですか？
お、お父さんと
同じ会社
だからね…
簡単にいえば
マーケティングの
お仕事だよ
マーケティング
？
？

具体的には
統計学を利用した
マーケティングリサーチ
なんだけど…
っていっても
高校生のルイちゃんには
「マーケティング」なんて
わかんないよね
うん　わかんない…
素直だね
じゃあ「統計学」は？
んー…
わからないかな？
統計学っていうのはね
おおざっぱにいって
標本の情報から
母集団の状況を
推測する学問なんだ
ちょっと
難しすぎた
かなぁ…
シュー
おい
ルイ！
あ、そうだ
朝毎新聞
ちょうど
今日の夕刊に
内閣支持率が
載っているね

「朝毎新聞社調べでは
内閣支持率は39％」
だったと…
それが
どうかしたの？
僕は朝毎新聞社の人に
支持率なんて
きかれなかったよ
高津さんは？
いや
僕もきかれな
かったなぁ…
ん〜〜〜
2人とも調査は
受けていないのに
内閣支持率は
出ちゃってるんだ？
2人とも
選挙権があるのに…
ちょっと変なのぉ〜〜〜
そう！　そこに
統計学が応用
されているんだよ！
と
いいますと…？
ルイ、有権者って
日本にどのくらい
いるのかな？
JAPAN
うーん…
いっぱい！
たくさん！
ハイ！

そうだね
その全員を調査して
内閣支持率を出せば
その数値は正確だろうし
何も疑問はないよね
うん
支持
不支持
カチカチ
でも、それだけの人数
全員を調査するのは
現実的じゃない
そうだねぇ…
やってられっかー
ざけんじゃねー
だよねー
そこで
人数を絞って
調査を行う
わけだね
ハイ…
ルイ、調査の対象にすべき
本当の集団を『母集団』、
母集団から抽出された
いくつかの個体からなる
集団を『標本』、統計学では
そういうんだよ
ボシュウダン
ヒョウホン
またお父さんが
難しいことをいって
ルイをいじめるよ～！
わーん
ガーン

つまり…　内閣支持率の話でいうと
母集団は「有権者全員」
ということだね
そしてこの調査では
2000人に調査したらしいから
その2000人が標本と
いうことになるね
有権者全員
抽出
2000人
母集団
標本
なるほどー!
できることならば
母集団を調査したい
100m²
この土地に
いちばん多く
生えている
草は……
でもそれは
現実的にほぼ不可能だ
困ったなぁ
100m²
手間だよー
しんどい
よー
厳密とはいわないまでも
できるだけ正確な
母集団の状況を知る
ことはできないかな…
100m²
う～ん…
1m²だけ
調べてみよう
1m²
この悩みを
解消するための
強い味方が
統計学なんだよ!
おーっ!
もっと教えて
くださいな!
アハハ
それはまた
今度ね
ニコッ
やっぱり
かっこいい～っっ

翌日――
ボケー
むんず
えへへへへ
どうやったら
五十嵐さんともっと
仲良くなれる
かなぁ
お父さん！
統計学について
もっと詳しく知りたいの！
それは
いい！
五十嵐くんに
教えてもらい
なさい
また
会えたね
わかった
かい？
五十嵐さんの
おかげで
バッチリよ！
ラブラブ個人授業
フフフフフ……
カン
ペキ♡

お父
さん♡
おお
ありがとう
あのね、
私、統計学の
家庭教師を
つけてほしいな♡
お父さんの
仕事に興味が
わいちゃって♡
だばぁ
ル、ルイ〜〜〜〜〜
よし！ じゃあ
毎週土曜に
家庭教師を
つけてやろう
うん！
お父さんの部下
でもいいからね！
五十嵐さんとか！！
まかせときな
さいって！
よし！
そして土曜日——
ピンポーン
おう、おつかれさん！
上がってくれ

来た!
おーいルイ!
先生を連れて
きたぞ——
はーい
タッタッタ‥‥
ども…

ボロッ…
ルイ、部下の山本マモルくんだ
はじめまして！
お、お父さん…五十嵐さんは…？
ん？五十嵐くんより山本くんの方が家が近いんだよ それに教えるのも上手いしね！
じゃあ仲良くやってくれ
はっはっは！
あんた誰よー!!!
ガバッ

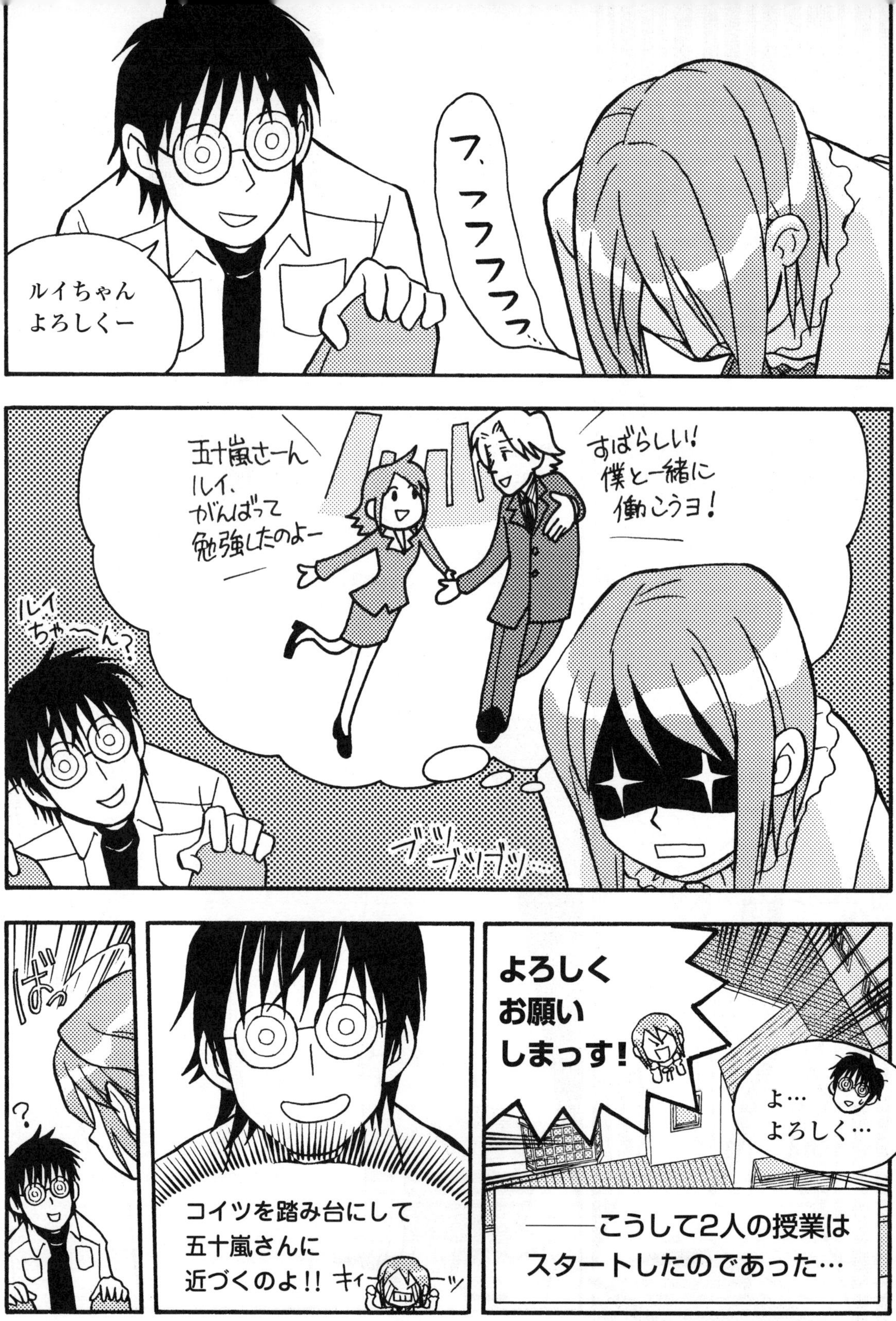
ルイちゃん
よろしくー
フ、フフフフフ…
五十嵐さーん
ルイ、
がんばって
勉強したのよー
すばらしい！
僕と一緒に
働こうヨ！
ルイちゃ〜ん？
ブツブツブツー
ばっ
？
コイツを踏み台にして
五十嵐さんに
近づくのよ!!
キィーーーッ
よろしく
お願い
しまっす！
よ…
よろしく…
——こうして2人の授業は
スタートしたのであった…

◆第1章◆

データの種類をたしかめよう！

✿ 1. カテゴリーデータと数量データ ✿

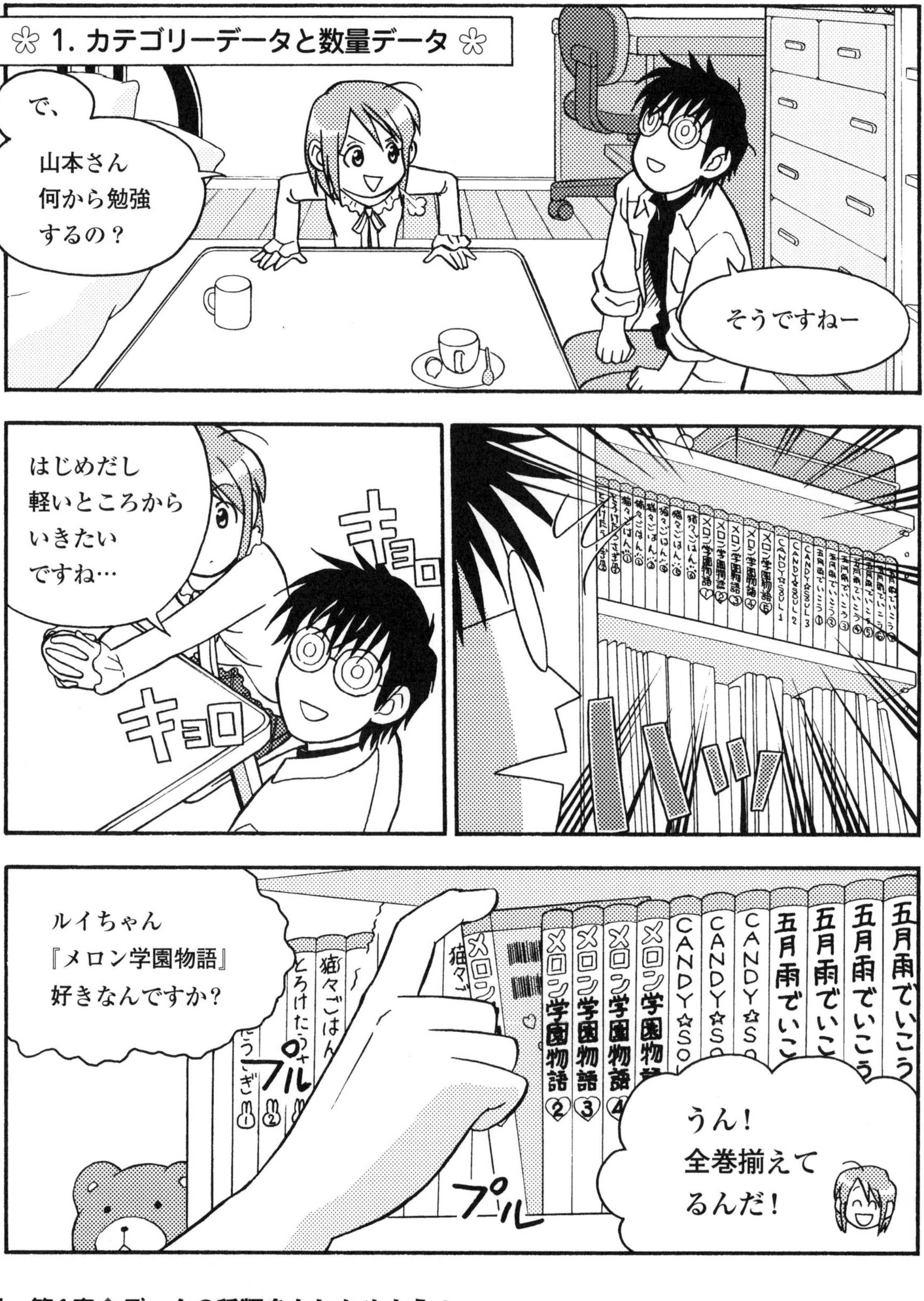

実は僕もちょっと
好きなんですよね
『メロ学』…
ちょっとじゃないな…
★メロン学園物語 第5巻★
愛読者アンケート
Q1. 『メロン学園物語』第5巻のご感想は？
1. とてもおもしろかった
2. ややおもしろかった
3. どちらともいえない
4. ややつまらなかった
5. とてもつまらなかった
Q2. あなたの性別は？
1. 女　2. 男
Q3. あなたの年齢は？　＿＿＿歳
Q4. 1ヶ月に何冊くらい
雑誌を購入しますか？　＿＿＿冊
回答者の中から抽選で30名の方に『リナちゃんキーホルダー』をプレゼント！
ご協力ありがとうございました。貴重なご意見は、
今後の出版・企画の参考にさせていただきます。
でもそれが統計学と
何か関係あるのぉ？
フフフフフフフ
パラ
パラ
101-84
〇〇郵便局私書箱〇号
〇X社
メロン学園物語 第5巻
愛読者アンケート係
あったー！

アンケートが
どうかしたの？
そのアンケート
を送ると…
しゅたっ
私…
がんばる…
ばかっ
信じて
たのにっ
これ
作って
きたの♡
だって
好きなんだ
もん…
リナちゃん（主人公）の
キーホルダーが（当たれば）
もらえるんですよ！！
原型制作：TAIYODO
欲しいですねぇ〜〜〜〜〜〜〜〜
はー—
そー—ですか
それでは本題に
入りますよ〜
授業
始まって
たんだ….
とりあえず
そのアンケートに
答えてみて
ください
ほーい
できた！
サラサラ
サラ
はい
ありがとう
ございました

読者から得られたデータ

	Q1 『メロ学』の感想	Q2 性別	Q3 年齢 （歳）	Q4 1ケ月あたりの 購読雑誌数 （冊）
ルイちゃん	とてもおもしろかった	女	17	2
Aさん	ややおもしろかった	女	17	1
Bさん	どちらともいえない	男	18	5
Cさん	ややつまらなかった	男	22	7
Dさん	ややおもしろかった	女	25	4
Eさん	とてもつまらなかった	男	20	3
Fさん	とてもおもしろかった	女	16	1
Gさん	ややおもしろかった	女	17	2
Hさん	どちらともいえない	男	18	0
Iさん	どちらともいえない	女	21	3
⋮	⋮	⋮	⋮	⋮

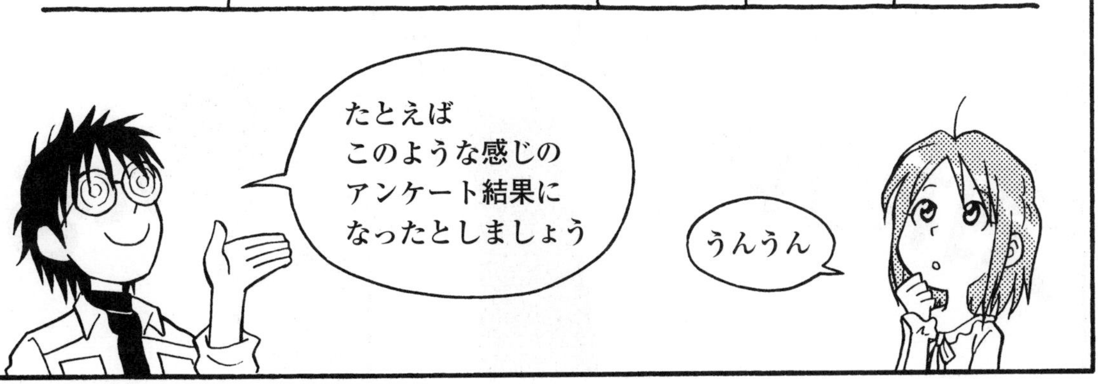
たとえば
このような感じの
アンケート結果に
なったとしましょう
うんうん

『メロ学』の
評判が気になる
ところですが！
メロオタめ…
すとん
それはそれとして
今日の授業では
データの分類に
重点をおきましょう
どういう
こと？
データというものは…
“測れない”データと
“測れる”データに
わけられます！
測れない
測れる

アンケートで
いうと
こうなります
★メロン学園物語 第5巻★
愛読者アンケート
Q1.『メロン学園物語』第5巻のご感想は?
1. とてもおもしろかった
2. ややおもしろかった
5. とてもつまらなかった
Q2. あなたの性別は?
1. 女　2. 男
Q3. あなたの年齢は?　17 歳
Q4.
雑誌を購入しますか?　2 冊
測れないデータ
測れるデータ
回答者の中から抽選で30名の方に『リナちゃんキーホルダー』をプレゼント!
ご協力ありがとうございました。貴重なご意見は、今後の出版・企画の参考にさせていただきます。
ホウ!

測れないデータのことを
『カテゴリーデータ
（カテゴリカルデータ）』、
測れるデータのことを
『数量データ』なんて
いったりするんですよ
ふーん…

2. カテゴリーデータの注意すべき例
でもなぁ〜〜
Q1ってなんだかカテゴリーデータって感じがしないんだけど
Q1.『メロン学園物語
1. とてもおもしろか
2. ややおもしろかった
てもつまらなかった
その気持ちはわかります
でしょ——ちゃんと説明してくださいな
結論からいうと「Q1.『メロ学』の感想」はやはり“測れない”データなのです
ええー！なんでよ！
目盛りが等間隔じゃないからです
まだわかんないよ——
じゃあ具体例を…

ルイちゃん…
なあに？
体重いくつ？
くわっ
レディーに
そういうこと
きくのは
失礼
ですっ！
ごめん
なさい
では身長は
いくつですか？
151cmだよ！
よかった
気にして
ないんですね
先にそっちを
きいてよね！
身長を測るときは
身長計を使い
ますよね？
もちろん！

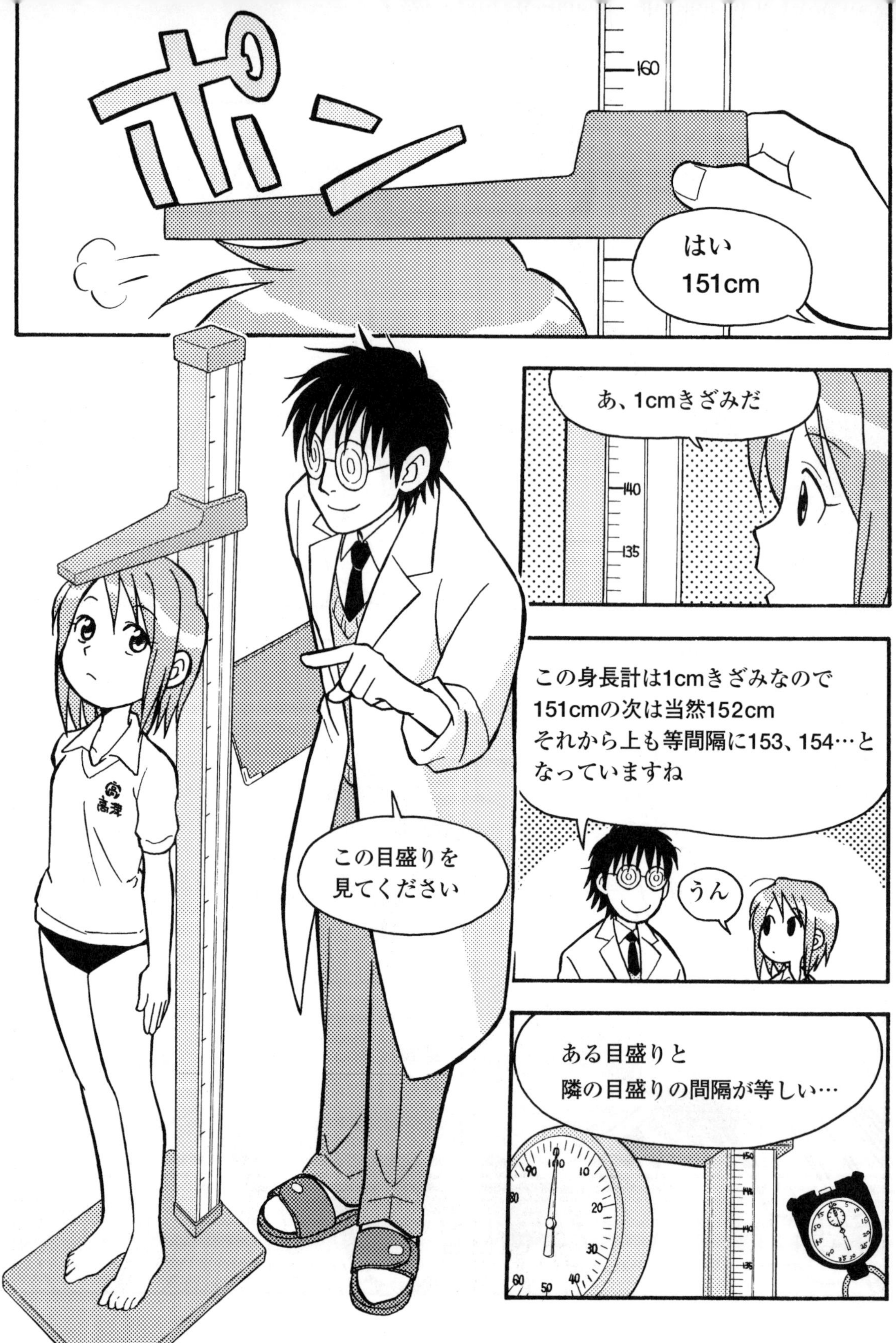
ポン
はい 151cm
この目盛りを見てください
あ、1cmきざみだ
この身長計は1cmきざみなので
151cmの次は当然152cm
それから上も等間隔に153、154…と
なっていますね
うん
ある目盛りと
隣の目盛りの間隔が等しい…

したがって「身長」は
“測れる”データ
つまり数量データです！
おーっ
わかったー！
次の例に
うつりましょう
何？
何？
かぱっ
えーっと…
Coogle
メロ学の
壁紙…
学園
物語♡
たしかルイちゃんは
財団法人日本英語検定協会の
実用英語技能検定にて
級を取得していますよね？
高津さんから
ききました…
何よそれ…
通称
「英検」です
ハイッ
準2級
持ってまーす♡

英検における試験の難易度の目安

1級	2級	3級	4級	5級
大学 上級程度 （約10,000～15,000語レベル）	高校 卒業程度 （約5,100語レベル）	中学 卒業程度 （約2,100語レベル）	中学 中級程度 （約1,300語レベル）	中学 初級程度 （約600語レベル）

（財団法人　日本英語検定協会　http://www.eiken.or.jpより）

だから級と級との間隔は等しいとはいえませんね
ということは…
英検の級は“測れない”データ
つまりカテゴリーデータです！
I see !
さあ、もうルイちゃんにはわかりますね
★メロン学園物語 第5巻★
愛読者アンケート
Q1.『メロン学園物語』第5巻のご感想は？
1. とてもおもしろかった
2. ややおもしろかった
3. どちらともいえない
4. ややつまらなかった
5. とてもつまらなかった
Q2. あなたの性別は？
1. 女 2. 男
Q3. あなたの年齢は？ 17 歳
Q4. 1ヶ月に何冊くらい雑誌を購入しますか？ 2 冊
この読者アンケートQ1のそれぞれの間隔は等しいといえますか？
ううん 等しくない！
そんなの人によって違うしね
カテゴリーデータだよ！
そのとおり！

じゃあクイズ
いきますよ
気温は?
数量データ!
出身県は?
カテゴリーデータ!
柔道の段位は?
カテゴリーデータ!
体重は?
数量データ!
『メロ学』の
発行部数は?
数量データ!
天気は?
カテゴリー
データ!!
よくできました!
今日の授業を
終わります
しゅ
それでは
また来週…
ありがとう
ございまーす!
あ、ルイちゃん

☆メロン学園物語 第5巻☆
愛読者アンケート
これ…
出して
おきますね…
ギイイイイ
僕の住所で….
…….
バタン
変な人…
待っててね
五十嵐さんっ♡
でも統計学って
思ったより身近で
楽しいかも！

3. 実務における「とてもおもしろかった」～「とてもつまらなかった」の扱い

25ページで述べたように、「Q1.『メロン学園物語』第5巻のご感想は？」はカテゴリーデータです。ですが消費者アンケートなどの実務では、数量データだとみなす場合が少なくありません。つまり

とてもおもしろかった	⇨	5点
ややおもしろかった	⇨	4点
どちらともいえない	⇨	3点
ややつまらなかった	⇨	2点
とてもつまらなかった	⇨	1点

あるいは

とてもおもしろかった	⇨	2点
ややおもしろかった	⇨	1点
どちらともいえない	⇨	0点
ややつまらなかった	⇨	−1点
とてもつまらなかった	⇨	−2点

などと解釈する場合が少なくありません。

理屈の世界と実務の世界、いや、タテマエの世界とホンネの世界とでもいうべきでしょうか。ともあれ世界が異なればデータの捉え方も異なる場合があることを知っておいてください。

例題と解答

例題

下表に注目してください。

	血液型	スポーツ飲料Xに対する評価	エアコンで快適と感じる室温（℃）	100m走の記録（秒）
Aさん	B	まずい	25	14.1
Bさん	A	おいしい	24	12.2
Cさん	AB	おいしい	25	17.0
Dさん	O	どちらともいえない	27	15.6
Eさん	A	まずい	24	18.4
：	：	：	：	：

「血液型」「スポーツ飲料Xに対する評価」「エアコンで快適と感じる室温」「100m走の記録」をカテゴリーデータか数量データのいずれかに分類しなさい。

解答

「血液型」と「スポーツ飲料Xに対する評価」は、カテゴリーデータである。「エアコンで快適と感じる室温」と「100m走の記録」は、数量データである。

まとめ

- データは、カテゴリーデータと数量データに分類される。
- 「とてもおもしろかった」～「とてもつまらなかった」などといったものは、理屈のうえではカテゴリーデータである。ただし実務では、数量データとみなす場合が少なくない。

◆第2章◆

データ全体の雰囲気をつかもう！

＜数量データ編＞

1. 度数分布表とヒストグラム

ギイ…
こんにちは
ルイちゃん
真剣
美味しい
ラーメン
best 50
こんにちは
山本さん
あれ？
ラーメンが好き
なんですか？
大好き！
この雑誌を見て
どこに行こうか
迷ってたんですよー
ホウ！
みんな
おいしそう
でしょー？
渋谷
500
890
880
700
890

……
?
カリ
カリカリ
カリ
カリ
なるほどぉ
さっ
美味しい

とりあえず
値段を表に
まとめて
みました
なにげに
授業に入って
るんですね…
変なん
…

『美味しいラーメンbest 50』に掲載されているラーメン屋のラーメンの値段

	値段（円）		値段（円）
ラーメン屋 1	700	ラーメン屋 26	780
2	850	27	590
3	600	28	650
4	650	29	580
5	980	30	750
6	750	31	800
7	500	32	550
8	890	33	750
9	880	34	700
10	700	35	600
11	890	36	800
12	720	37	800
13	680	38	880
14	650	39	790
15	790	40	790
16	670	41	780
17	680	42	600
18	900	43	670
19	880	44	680
20	720	45	650
21	850	46	890
22	700	47	930
23	780	48	650
24	850	49	777
25	750	50	700

この表を見て
どう思います？
はぁ～
ラーメン
食べたい
他に何か
ありません
かー？
え――
そんなこと
いわれてもなー
値段がバラバラ
なんだなあって
ことくらいかな…
数字が羅列
されてるだけで
よくわからないよぉ
どうしたら
もっと見やすく
なりますか？
むぅー
表に
まとめて
みるとか？
そのとおり！
表にまとめるために
まず値段を範囲ごとに
区切りましょう
ウム？

50店のラーメン屋が集結した大きなラーメンデパートを想像してみてください
ラーメン万歳
ス…ステキ！
なぜかエレガ
ラーメン
そうですね…
クイッ

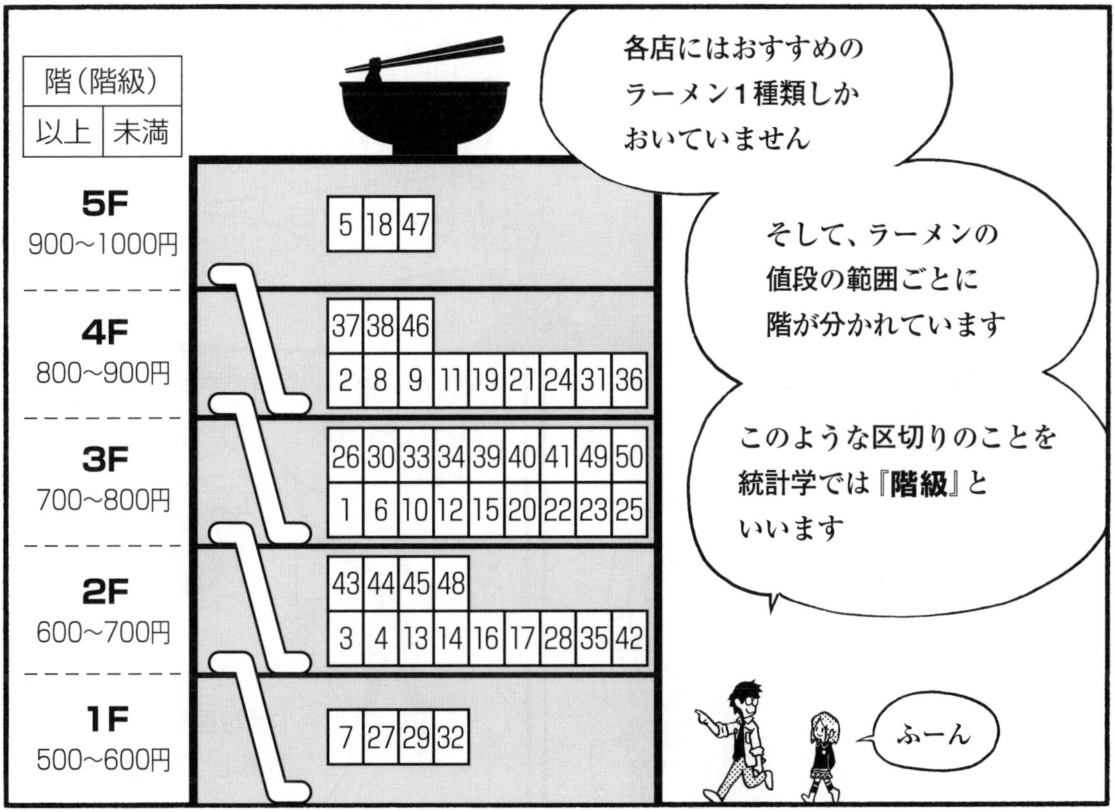
各店にはおすすめのラーメン1種類しかおいていません
そして、ラーメンの値段の範囲ごとに階が分かれています
このような区切りのことを統計学では『階級』といいます
ふーん
階（階級）
以上 未満
5F 900～1000円
5 18 47
4F 800～900円
37 38 46
2 8 9 11 19 21 24 31 36
3F 700～800円
26 30 33 34 39 40 41 49 50
1 6 10 12 15 20 22 23 25
2F 600～700円
43 44 45 48
3 4 13 14 16 17 28 35 42
1F 500～600円
7 27 29 32

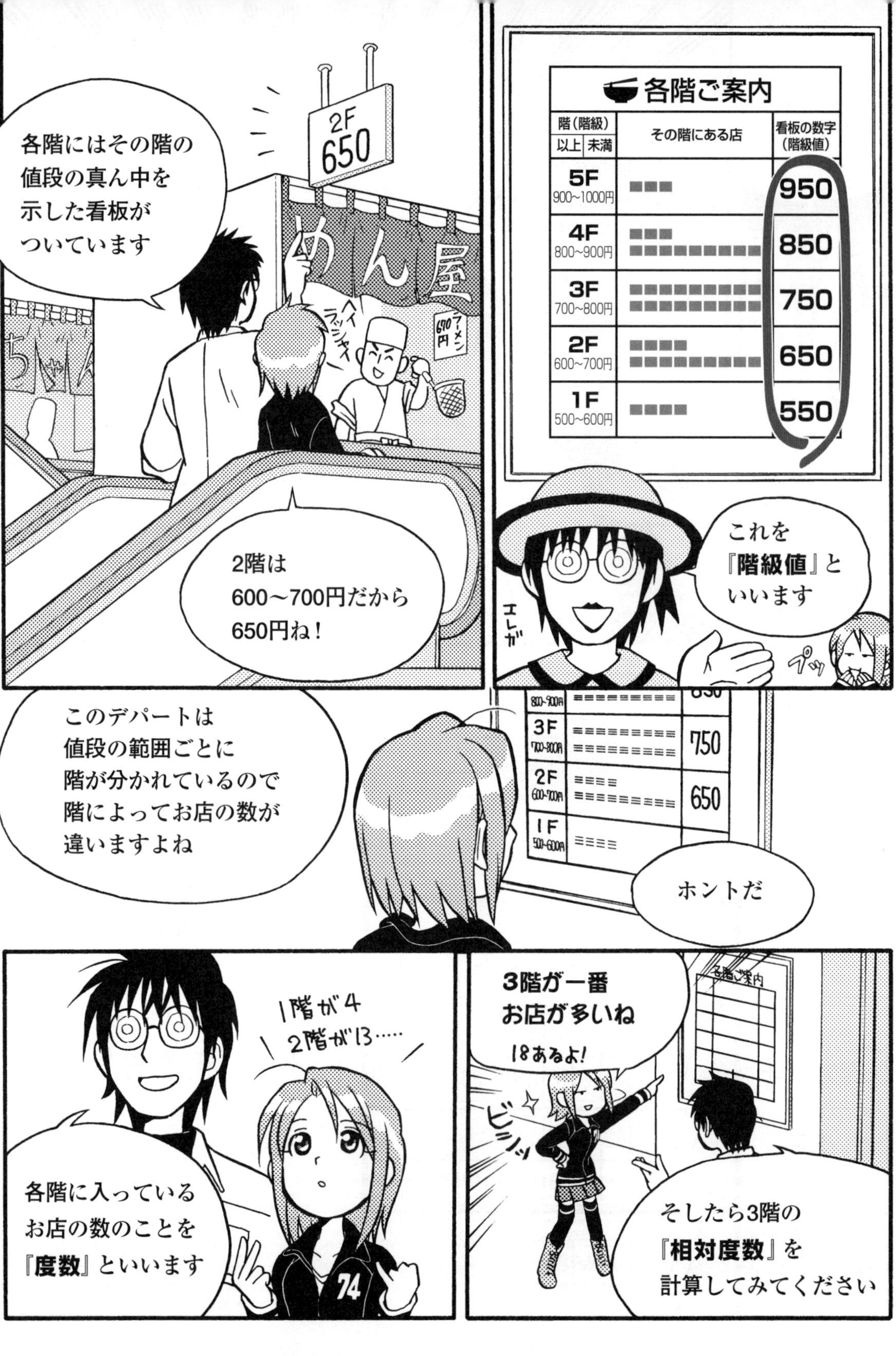

2F
650
めん屋
ラーメン 670円
ヘイラッシャイ
各階にはその階の値段の真ん中を示した看板がついています
2階は600～700円だから650円ね！
各階ご案内
階（階級）
以上 未満
その階にある店
看板の数字（階級値）
5F 900~1000円 950
4F 800~900円 850
3F 700~800円 750
2F 600~700円 650
1F 500~600円 550
これを『階級値』といいます
エレガ
プッ
このデパートは値段の範囲ごとに階が分かれているので階によってお店の数が違いますよね
3F 700~800円 750
2F 600~700円 650
1F 500~600円
ホントだ
各階に入っているお店の数のことを『度数』といいます
1階が4
2階が13……
3階が一番お店が多いね
18あるよ！
各階ご案内
ビシッ
そしたら3階の『相対度数』を計算してみてください

???
ソウタイドスウ？
普段よく使ってる パーセンテージ みたいなものです
全体を1とした 割合のことですよ
式は コレ
相対度数＝各階級に属するデータの個数／全てのデータの個数
えっと…3階にある お店の数は18で 全体が50店だから…
ざんあんざん あんざんあ んざんあん ざんあんざ んあん ざん あ
あん ざ
18/50＝36/100＝0.36ね！
そう！ 700～800円に属する、 すなわち階級値が750円である ラーメン屋の相対度数は0.36で、 ×100をすれば パーセントだから36％ ということになりますね
シュー
うう… 数学的になってきたね

ついてこれてますか？
今まで話したことを表にまとめると…
はあ――…やっぱり数字だ
そうですね
たしかに数字ばかりでわかりづらいのでグラフ化しましょうか
ムクッ
『ヒストグラム』という
棒グラフにまとめると…

『美味しいラーメンbest50』の度数分布表

階級 以上	階級 未満	階級値	度数	相対度数
500	600	550	4	0.08
600	700	650	13	0.26
700	800	750	18	0.36
800	900	850	12	0.24
900	1000	950	3	0.06
計			50	1.00

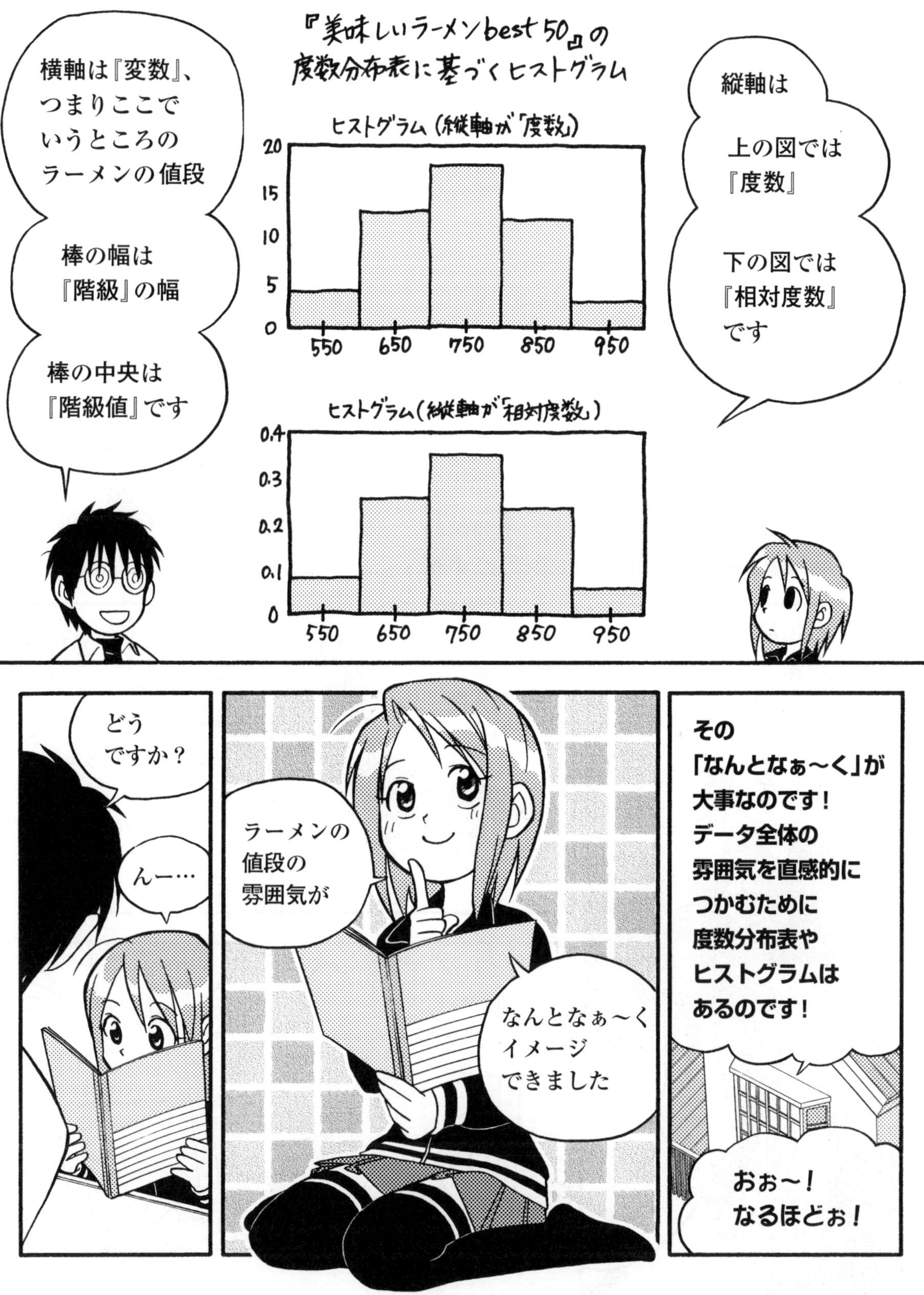
『美味しいラーメンbest 50』の
度数分布表に基づくヒストグラム
横軸は『変数』、つまりここでいうところのラーメンの値段
棒の幅は『階級』の幅
棒の中央は『階級値』です
ヒストグラム（縦軸が「度数」）
20
15
10
5
0
550
650
750
850
950
ヒストグラム（縦軸が「相対度数」）
0.4
0.3
0.2
0.1
0
550
650
750
850
950
縦軸は
上の図では『度数』
下の図では『相対度数』です
どうですか？
んー…
ラーメンの値段の雰囲気が
なんとなぁ～くイメージできました
その「なんとなぁ～く」が大事なのです！データ全体の雰囲気を直感的につかむために度数分布表やヒストグラムはあるのです！
おぉ～！なるほどぉ！

2. 平均
こないだ
クラスの女子みんなで
ボーリングに
行ってきたんですよ――
休憩中
穴掘りですか～～
どんな女子高生
だぁ～～～!!
山本サン
何歳？
ボケて
みました
クラスの
女子全員というと
また大人数
ですね～
A
B
C
うん、全部で18人
だから6人ずつ
3チームに分かれて
チームごとに
たたかったんだよー
ほらこれが
その時の
スコア表～～
さっ

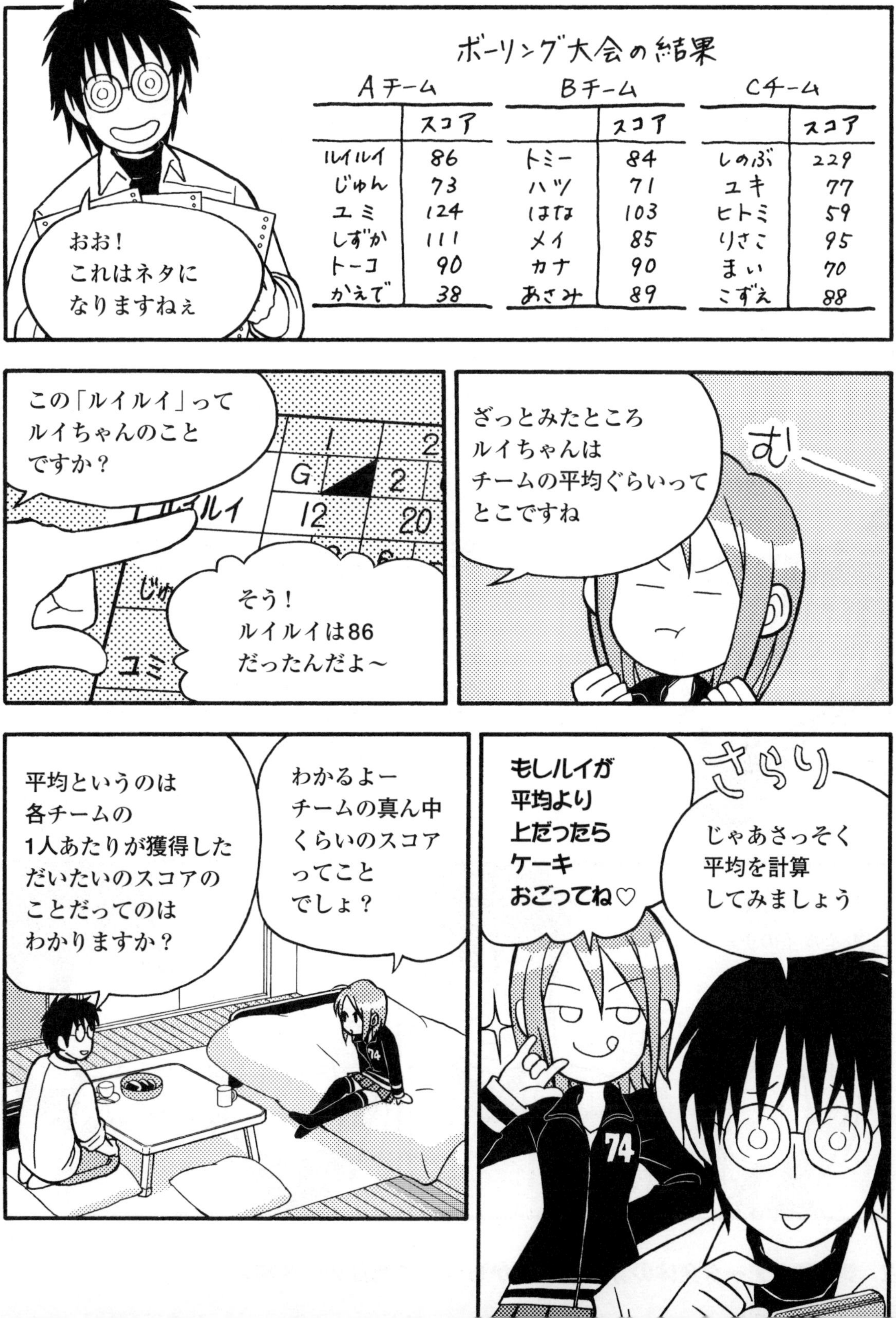

ボーリング大会の結果
Aチーム　スコア
ルイルイ 86
じゅん 73
ユミ 124
しずか 111
トーコ 90
かえで 38
Bチーム　スコア
トミー 84
ハツ 71
はな 103
メイ 85
カナ 90
あさみ 89
Cチーム　スコア
しのぶ 229
ユキ 77
ヒトミ 59
りさこ 95
まい 70
こずえ 88
おお！ これはネタに なりますねぇ
この「ルイルイ」って ルイちゃんのこと ですか？
そう！ ルイルイは86 だったんだよ～
ざっとみたところ ルイちゃんは チームの平均ぐらいって とこですね
むー
平均というのは 各チームの 1人あたりが獲得した だいたいのスコアの ことだってのは わかりますか？
わかるよー チームの真ん中 くらいのスコア ってこと でしょ？
もしルイが 平均より 上だったら ケーキ おごってね♡
さらり
じゃあさっそく 平均を計算 してみましょう

チーム対決ってことは
おそらく各チームの
スコアの合計で
競いましたね？
そうだよ？
スコアの合計を
メンバーの数で
割ったものが
平均ですから…
Aチーム
$\frac{86+73+124+111+90+38}{6}=\frac{522}{6}=87$
Bチーム
$\frac{84+71+103+85+90+89}{6}=\frac{522}{6}=87$
Cチーム
$\frac{229+77+59+95+70+88}{6}=\frac{618}{6}=103$
Cチーム
すごーい！
というわけで
ルイルイのチームの平均は
87ですね
ルイルイは
86でしたね
ケーキおごって
いただけますか？
む
ドキ
ドキ

二度と
ルイルイと
呼ばないで
ください！
ごめんね
ま…まあまあ
ケーキの代わりに
豆知識を教えましょう
なになに？
いま説明した『平均』は
厳密には『算術平均』や
『相加平均』と
呼ばれるものです
この他にも
『幾何平均』(＝『相乗平均』)や
『調和平均』という
『平均』があります
計算式はともかく
名前だけでも
覚えていてくださいね
幾何平均
$\sqrt[n]{x_1 \times x_2 \times \cdots \times x_n}$
調和平均
$\left(\frac{\frac{1}{x_1} + \frac{1}{x_2} + \cdots + \frac{1}{x_n}}{n} \right)^{-1}$
あまり
美味しくない
豆知識でしたね
いやーん

3. 中央値
もう一度スコア表を見てください
なになに？
Aチームと Bチームは ともかく、Cチームの 平均を——
ボーリング大会の結果
「1人あたりが獲得しただいたいのスコア」とみなすのはかなり無理があると思いませんか？
そうだね 2ケタのスコアが 5人もいるのに 平均が100を 超えてるもんね
しのぶうまかったなぁ〜
このように 異様に大きかったり 小さかったりするデータが ある場合
平均よりも 『中央値』を 求めるほうが 妥当です
『中央値』？

Aチーム	スコア	Bチーム	スコア	Cチーム	スコア
ルイルイ	86	トミー	84	しのぶ	229
じゅん	73	ハツ	71	ユキ	77
ユミ	124	はな	103	ヒトミ	59
しずか	111	メイ	85	りさこ	95
トーコ	90	カナ	90	まい	70
かえで	38	あさみ	89	こずえ	88

中央値とは
データを
小さな順に
並べた際に
真ん中にくる
値のことです
まずは各チームの
スコアを小さな順に
並べてみましょう
Aチーム
38 73 86 90 111 124
Bチーム
71 84 85 89 90 103
Cチーム
59 70 77 88 95 229
データの個数が奇数
−1041.6 −39.0 −5.7 60.4 77.3
中央値
データの個数が偶数
−0.4 35.2 37.8 42.2 46.1 910.3
この平均が中央値
データの個数が
奇数ならば
ちょうど真ん中の
人のデータが中央値に
なりますが
今回のボーリングのような
偶数の場合、
3番目と4番目の平均が
中央値になります
では
Cチームの中央値を
だしてみましょう
ハイッ
77+88 / 2 =82.5
ですっ
正解！

平均に関係した
豆知識をひとつ…
またナッツ
知識か…
ナッツは木の実ですけどね…
ルイちゃんは
貯金をしていますか？
グフフ
してるよ～～～
まだ4ケタだけど
それじゃあよく
新聞やテレビのニュースで
「日本の“平均”貯蓄額」が
話題になったとき
その高さに驚いたり
しませんか？
OXBANK
OXBANK
ロロ証券
○証券
銀行
△△銀行
するする！
私はともかく…
お父さんたち
そんなにお金
持ってるのかなぁ…

あの値は少数の大金持ちが引き上げてしまっているのです
自分の貯蓄額が“平均”よりもずいぶん少ないからといって落胆する必要はありません
こういう場合は中央値を求めたほうがより庶民的な数値になるかもですね
でれ
ってきいてませんね…
よーし中央値からかけはなれたお金持ちと結婚するぞ——
ガク
74

✿ 4. 標準偏差 ✿

さて、Aチームと
Bチームの
スコアに注目
してみましょう
はーい

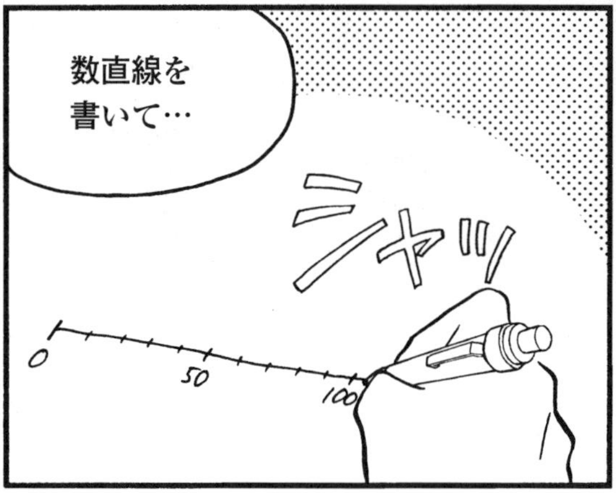
数直線を
書いて…
シャッ
0
50
100

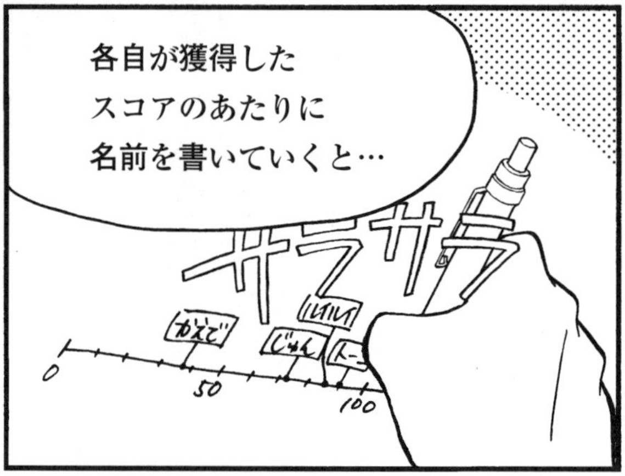
各自が獲得した
スコアのあたりに
名前を書いていくと…
サラサラ
かえで
ルイルイ
じゅん
0
50
100

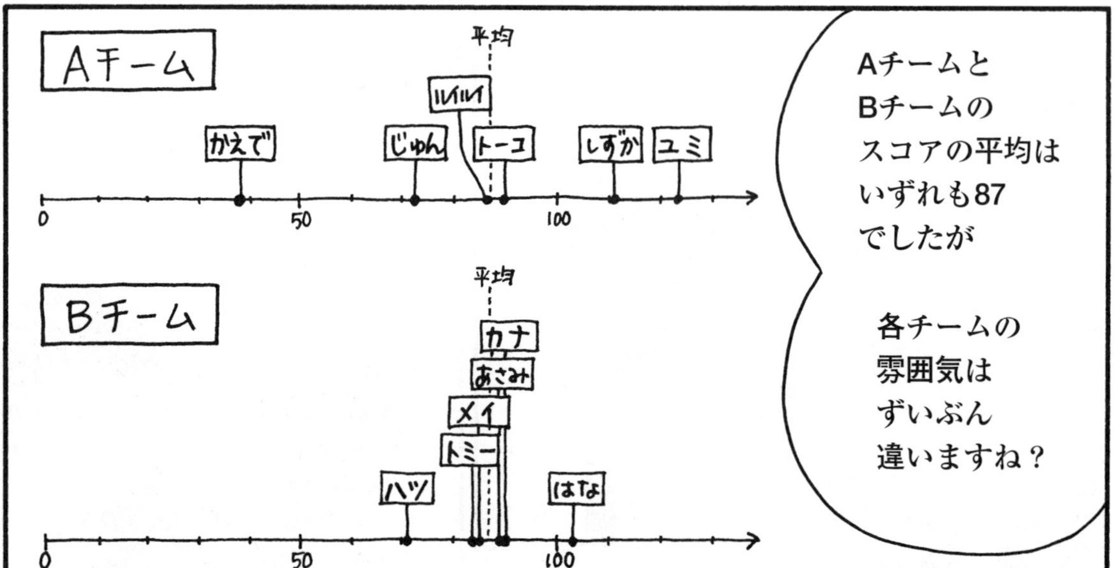
Aチーム
平均
ルイルイ
かえで
じゅん
トーコ
しずか
ユミ
0
50
100
Bチーム
平均
カナ
あさみ
メイ
トミー
ハツ
はな
0
50
100
Aチームと
Bチームの
スコアの平均は
いずれも87
でしたが
各チームの
雰囲気は
ずいぶん
違いますね？

そうだね
Aチームは
低いスコアから
高いスコアまで
散らばっていて、
Bチームはみんな
似たようなスコアだね
このような
「散らばりの程度」を
あらわすのに
使われるのが
『標準偏差』です
なにそれぇ…
おおまかにいって
1データあたりの
「平均からのズレ」を
あらわす指標です
ふ…ふーん？
標準偏差は
最小値が0であり
データの「散らばりの程度」が大きいほど
大きな値になります
0（最小）
散らばりが全くない
(=全部同じデータ)
散らばっている
AチームとBチームの
標準偏差はどちらが
大きいと思いますか？
う~~~~ん…
Aかな？

そのとおり！
具体的な計算式は
こうなります
うへ〜〜〜…
いっきに数学っぽく
なったな――
$\sqrt{\dfrac{(個々のデータ-平均)^2を足したもの}{データの個数}}$
ここに具体的な数字を
入れていくだけだから
大丈夫！
とりあえず一緒に
やっていきましょう
う、うん…
まずはAチーム
Aチーム
$\sqrt{\dfrac{(86-87)^2+(73-87)^2+(124-87)^2+(111-87)^2+(90-87)^2+(38-87)^2}{6}}$
$=\sqrt{\dfrac{(-1)^2+(-14)^2+37^2+24^2+3^2+(-49)^2}{6}}$
$=\sqrt{\dfrac{1+196+1369+576+9+2401}{6}}$
$=\sqrt{\dfrac{4552}{6}}$
$=\sqrt{758.6\cdots}$
$\fallingdotseq 27.5$
こうやって
みると
なんとなく
できそう
じゃあBチームは
ルイちゃんが
やってみましょう

Bチーム
えっとここに
点数を入れてっと…
カリカリ
カリカリカリカリ
ルート89.7って
いくつ?
約9.5
ですね
できた!
Bチーム
√((84-87)²+(71-87)²+(103-87)²+(85-87)²+(90-87)²+(89-87)²)/6
=√((-3)²+(-16)²+16²+(-2)²+3²+2²)/6
=√(9+256+256+4+9+4)/6
=√(538/6)
=√89.6…
≒9.5
正解!
できたじゃ
ないですか
あははっ
カンタンねっ!
おー
パチ
パチ
標準偏差
Aチーム=27.5
Bチーム=9.5
たしかにみんなが
似たようなスコアだった
Bチームのほうが
標準偏差は小さいね

標準偏差の式とは
$\sqrt{\frac{(個々のデータ - 平均)^2 を足したもの}{データの個数}}$
といいましたが
$\sqrt{\frac{(個々のデータ - 平均)^2 を足したもの}{データの個数 - 1}}$
という考え方もあります
ホウ！
データの個数から1つ引くんだね
そうです
母集団
標本
おおまかにいって
母集団の標準偏差を求める場合は前者の式を
標本の標準偏差を求める場合は後者の式を使います
母集団ってのは調査したい本当の集団で
標本ってのは母集団から選ばれた人たちでできてる集団だったよね

そうです
ルイちゃんの
ボーリングのチームのように
集団の全データが
得られればいいのですが…
それは
一般的には
難しいので
後者の式を使うことが
実際はほとんど
なんですよ
ふーん
そうなんだー…
では
今日の授業は
ここまで～
はーい！
ありがとう
ございましたー！

5. 度数分布表の「階級」の幅

なんとなく納得いかないモヤモヤを「1.度数分布表とヒストグラム」で感じた人がいるかもしれません。

下表は、38ページの表を再掲したものです。

表 2.1 『美味しいラーメン best50』の度数分布表

階級 以上　　未満	階級値	度数	相対度数
500 ～ 600	550	4	0.08
600 ～ 700	650	13	0.26
700 ～ 800	750	18	0.36
800 ～ 900	850	12	0.24
900 ～ 1000	950	3	0.06
計		50	1.00

ご覧のとおり、上表における「階級」の幅は100です。この「100」は、数学的な何かしらの基準により定められたものではありません。山本さんの主観がそのようにさせたまでです。そう、「階級」の幅をいくつにするかは分析者自身が判断するのです。

「主観的な幅からなる度数分布表なんて説得力がない。周りの人々にとても見せられない。幅を数学的に定める方法はないの？」と嘆く読者がいるかもしれません。実はあるのです。手順を以下に記します。せっかくですから、表2.1に対しておこなうとどうなるかをあわせて記します。

Step1

「階級」の個数を**スタージェスの公式**すなわち

$$1+\frac{\log_{10}\text{データの個数}}{\log_{10}2}$$

により求める。

$$1+\frac{\log_{10}50}{\log_{10}2}=1+5.6438\cdots=6.6438\cdots\fallingdotseq 7$$

Step2

「階級」の幅を

$$\frac{(\text{データの最大値})-(\text{データの最小値})}{\text{スタージェスの公式から求められた「階級」の個数}}$$

により求める。

$$\frac{980-500}{7}=\frac{480}{7}=68.5714\cdots\fallingdotseq 69$$

前頁の【Step2】で求められた「階級」の幅に基づく度数分布表を以下に記します。

表 2.2 『美味しいラーメン best50』の度数分布表（「階級」の幅を数学的に決定）

階級 以上　　未満	階級値	度数	相対度数
500 ～ 569	534.5	2	0.04
569 ～ 638	603.5	5	0.10
638 ～ 707	672.5	15	0.30
707 ～ 776	741.5	6	0.12
776 ～ 845	810.5	10	0.20
845 ～ 914	879.5	10	0.20
914 ～ 983	948.5	2	0.04
計		50	1.00

どうですか。表 2.1 にくらべて、むしろ周りの人々が納得してくれなさそうな表ができちゃったと思いませんか。つまり「どうして 69 円ごとに区切ってあるのか？」と首を傾げられそうな気がしませんか。そしてあなたが「いや、これはスタージェスの公式というものを使ってですね‥」と懸命に説明しても、「スターなんたらなんて知るか！　ともかくなんでこんなに解釈しづらい区切りにしたんだ!!」と怒られてしまいそうな気がしませんか。

まとめます。「階級」の幅を主観的に定めることにためらいを感じる人もいることでしょう。とはいえ上表から明らかなように、「階級」の幅を数学的に定めても結局しっくりこない場合が少なくありません。振り返ってください。そもそも度数分布表というのは、あくまでもデータ全体の“雰囲気”を直感的につかむためのものだったはずです。ですから分析者の納得いくものを「階級」の幅とすれば充分なのです。

✿ 6. 推測統計学と記述統計学 ✿

プロローグで、「統計学とは、標本の情報から母集団の状況を推測する学問のことだ」といった解説をしました。その解説は実は適切ではありません。

統計学は**推測統計学**と**記述統計学**に大別されます。プロローグで述べたのは前者のことです。それでは後者すなわち記述統計学とは何か。データを整理することによって集団の状況をできるだけ簡潔にそして明確に表すことを目的とした統計学のことです。対象の集団を母集団とみなす統計学のことだと考えればいいでしょう。

記述統計学の解説が抽象的でわかりづらかったかもしれません。例を示します。先ほどルイちゃんチームのスコアの平均と標準偏差を山本さんが求めました。彼が平均と標準偏差を求めたのは、ルイちゃんチームの情報から母集団の状況を推測しようとしたためではありません。そもそもルイちゃんチームが標本である母集団って一体どんな母集団なのでしょう。ともあれ山本さんが平均と標準偏差を求めたのは、あくまでもルイちゃんチームそのものの状況を簡潔に表したかったがためです。このような立場の統計学が記述統計学です。

例題と解答

例題

下表は、高校生女子の 100m 走の結果を記したものです。

	100m走（秒）
Aさん	16.3
Bさん	22.4
Cさん	18.5
Dさん	18.7
Eさん	20.1

(1) 平均を求めなさい。

(2) 中央値を求めなさい。

(3) 標準偏差を求めなさい。

解答

(1) 平均は、$\dfrac{16.3+22.4+18.5+18.7+20.1}{5}=\dfrac{96}{5}=19.2$ である。

(2) 中央値は、18.7 である。

16.3	18.5	18.7	20.1	22.4

(3) 標準偏差は、

$$\sqrt{\frac{(16.3-19.2)^2+(22.4-19.2)^2+(18.5-19.2)^2+(18.7-19.2)^2+(20.1-19.2)^2}{5}}$$

$$=\sqrt{\frac{(-2.9)^2+3.2^2+(-0.7)^2+(-0.5)^2+0.9^2}{5}}$$

$$=\sqrt{\frac{8.41+10.24+0.49+0.25+0.81}{5}}$$

$$=\sqrt{\frac{20.2}{5}}$$

$$=\sqrt{4.04}$$

$$\fallingdotseq 2.01$$

である。

まとめ

- データ全体の雰囲気を“直感的”につかむ方法として、度数分布表の作成とヒストグラムの描画がある。
- 度数分布表の「階級」の幅の定め方には、スタージェスの公式を利用する方法がある。
- データ全体の雰囲気を“数学的”につかむ方法として、平均と中央値と標準偏差の算出がある。
- 異様に大きなあるいは小さなデータが存在する場合は、平均よりも中央値のほうが妥当である。
- 標準偏差は、データの「散らばりの程度」をあらわす指標である。

◆第3章◆

データ全体の雰囲気をつかもう！

＜カテゴリーデータ編＞

1. 単純集計表

カテゴリーデータは
“測れない” データ
だってことは
覚えていますか？
うん！
一応ね
カチャ
なあに？
今日は
制服なんですね…
あ
コレ？
もうすぐ
この制服
着なく
なっちゃう
から…
あれ？
卒業ですか？
まだ2年生ですよね
今度、うちの学校
制服をリニューアル
するの──♡

じゃじゃーん
これだよー♡
チェックの
セーラー服
ですか…
めずらしい
それで
うちのクラスで
アンケート
とったんだ
結果は
これだよ
新しい制服のデザインアンケート
おお！
このアンケートは
カテゴリーデータ
ですね！
「好き」とか「きらい」
とかは"測れない"
データだもんね

	新しい制服は…		新しい制服は…		新しい制服は…
1	好き	16	どちらともいえない	31	どちらともいえない
2	どちらともいえない	17	好き	32	どちらともいえない
3	好き	18	好き	33	好き
4	どちらともいえない	19	好き	34	きらい
5	きらい	20	好き	35	好き
6	好き	21	好き	36	好き
7	好き	22	好き	37	好き
8	好き	23	きらい	38	好き
9	好き	24	どちらともいえない	39	どちらともいえない
10	好き	25	好き	40	好き
11	好き	26	好き		
12	好き	27	きらい		
13	どちらともいえない	28	好き		
14	好き	29	好き		
15	好き	30	好き		

では
データ全体の雰囲気を
つかむために
表をつくってみましょう
おーっ
	度数	割合(%)
好き	28	70
どちらともいえない	8	20
きらい	4	10
計	40	100
僕はこの表を
『単純集計表』と
呼んでいます
ちなみに
ルイちゃんは
何て答えたん
ですか？
好き♡
おさらいです
「好き」の度数は？
28人いたから
28です！
だから割合が
こうなりますね
$$\frac{28}{40}\times 100=\frac{7}{10}\times 100 = 70(\%)$$
OK!

新しい制服は…
好き
どちらともいえない
きらい
70
20
10
n
40
わかりやすくするために
グラフにしてみましょう
おーっ
グラフなら
見慣れてる！
こうやってみると
「好き」と答えた人が
過半数を占めているので
この制服のデザインは
結構人気があるみたいですね
やっぱり!?
かわいいもん！
ちなみに僕も
「好き」ですね
ははは…

例題と解答

例題

次期政権を狙っている△△党についてのアンケートをある新聞社がおこないました。その結果が下表です。

	○○党にくらべて △△党は…
回答者1	期待できない
回答者2	期待できない
回答者3	期待できない
回答者4	どちらともいえない
回答者5	期待できる
回答者6	期待できない
回答者7	期待できる
回答者8	どちらともいえない
回答者9	期待できない
回答者10	期待できない

このアンケート結果から「単純集計表」を作成しなさい。

解答

「単純集計表」は以下のとおりである。

	度数	割合(%)
期待できる	2	20
どちらともいえない	2	20
期待できない	6	60
計	10	100

まとめ

• データ全体の雰囲気をつかむ方法として、「単純集計表」の作成がある。

◆第4章◆

基準値と偏差値

✿ 1. 基準化と基準値 ✿

今日は友達のユミちゃんと一緒に外で授業です
ユミちゃんです
こんにちは
こんにちは
おジャマしてごめんね~~~
フフフ
いやっ！全然ジャマじゃないし!!
で、今日は何をしましょうかねぇ…
ハイッ！『偏差値』について教えてください！
ホウ！偏差値ですか！
私たち仲良くテストで90点をとったんです
英語で
古典で

低
でも偏差値はなぜか
ユミちゃんの古典のほうが
高かったの!
なんでぇ～
!?
あらあらあら?
高

それは
英語と古典では
点数の価値が
違ったからです
えっ どうして!?

他の子のテストの結果が
わかればいいんですが…
それは
さすがに…
ごごご

はい
これ…
ユミちゃん…
おおー

なるほどー

テストの結果(100点満点)

	英語	古典
ルイ	90	71
ユミ	81	90
A	73	79
B	97	70
C	85	67
D	60	66
E	74	60
F	64	83
G	72	57

	英語	古典
H	67	85
I	87	93
J	78	89
K	85	78
L	96	74
M	77	65
N	100	78
O	92	53
P	86	80

それぞれ
平均点を出して
みてください
ほい
できました——
平均点
英語 = 81.3
古典 = 74.3
英語
平均
8.7
81.3
90
100
古典
平均
15.7
74.3
90
100
平均点からの
離れ具合を
比較してみて
ください
これで90点の
価値の違いが
わかるでしょう
ふぇーん
そういうことか～～
あ、でも
90点は
すごい
ですよ！
あとで2人に
ケーキをごちそう
しましょう
やったー
ケーキ!
ケーキ!

	日本史	生物
ルイ	73	59
ユミ	61	73
A	14	47
B	41	38
C	49	63
D	87	56
E	69	15
F	65	53
G	36	80
H	7	50
I	53	41
J	100	62
K	57	44
L	45	26
M	56	91
N	34	35
O	37	53
P	70	68
平均	53	53

(個々のデーター平均)²を足したもの
データの個数
でしょ…
えっとぉー…
標準偏差
日本史＝22.7
生物＝18.3
出ました！
標準偏差が小さいほどデータの「散らばりの程度」が小さいわけですから——
日本史よりも生物のほうがみんなの点数が似ていたことになります
平均
日本史
0
53
73
100
平均
生物
0
53
73
100
つまり…？
受験風にいえば生物のほうが1点の重みがあったということです！
1点2点の差が順位に大きく影響しますので…
似合いすぎ…
プクク…

キラーン
それにしても点数を比較するのってめんどいね
ムクッ
そうですねー
同じ73点でも生物のほうが価値があったのかぁ～～
ルイちゃーん
へにょー
そこで考え出されたのが『基準化』です！
標準化ともいいます
『基準化』!?
平均からの離れ具合やデータの「散らばりの程度」をもとに――
点数の価値を検討しやすくするデータ変換です！

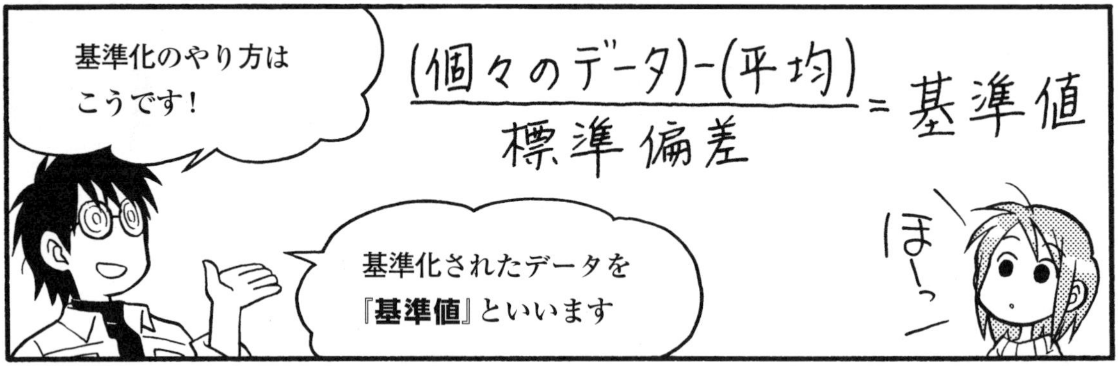

基準化のやり方は
こうです！
(個々のデータ)−(平均) / 標準偏差 ＝基準値
基準化されたデータを
『**基準値**』といいます
ほーっ

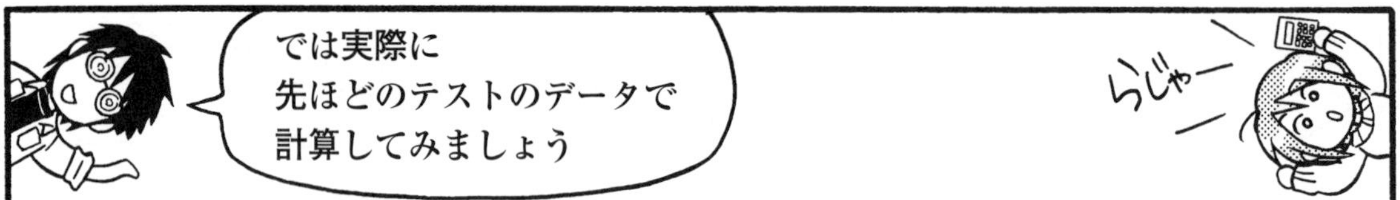

では実際に
先ほどのテストのデータで
計算してみましょう
らじゃー

日本史と生物のテスト結果とその基準値

	日本史	生物	日本史の基準値	生物の基準値
ルイ	73	59	0.88	0.33
ユミ	61	73	0.35	1.09
A	14	47	-1.71	-0.33
B	41	38	-0.53	-0.82
C	49	63	-0.18	0.55
D	87	56	1.49	0.16
E	69	15	0.70	-2.08
F	65	53	0.53	0
G	36	80	-0.75	1.48
H	7	50	-2.02	-0.16
I	53	41	0	-0.66
J	100	62	2.07	0.49
K	57	44	0.18	-0.49
L	45	26	-0.35	-1.48
M	56	91	0.13	2.08
N	34	35	-0.84	-0.98
O	37	53	-0.70	0
P	70	68	0.75	0.82
平均	53	53	0	0
標準偏差	22.7	18.3	1	1

ルイの日本史の基準値 $\frac{73-53}{22.7}=\frac{20}{22.7}=0.88$

ユミの生物の基準値 $\frac{73-53}{18.3}=\frac{20}{18.3}=1.09$

こうですねー

2. 基準値の特徴

基準化で出した基準値にはある特徴があります
で、この数字は？
0.88と1.09
① 満点が何点の変数であろうとも
その基準値の平均は必ず0、
標準偏差は必ず1である。
100点満点のテストと200点満点のテストの比較もできますよ
② どのような単位の変数であろうとも
その基準値の平均は必ず0、
標準偏差は必ず1である。
打率とホームラン数など単位の違うものも比較できます
基準値を出すことで
0.88 < 1.09
（日本史）　（生物）
どちらの73点に価値があったのかがハッキリとわかるようになりました！
ダメ押しっスね——

3. 偏差値
で、偏差値というのは基準値を応用したものなんですよ
おおー
求める公式はこうです
偏差値＝基準値×10＋50
ホントだー基準値が入ってるー
2人のテストの偏差値を出してみましょう
ルイ(日本史) 0.88×10＋50＝8.8＋50＝58.8
ユミ(生物) 1.09×10＋50＝10.9＋50＝60.9
そうそうこの数字だったんだよねー
特徴はこのようになりますよ
基準値
①満点が何点の変数であろうとも その基準値の平均は必ず0、標準偏差は必ず1である。
②どのような単位の変数であろうとも その基準値の平均は必ず0、標準偏差は必ず1である。
偏差値
①満点が何点の変数であろうとも その偏差値の平均は必ず50、標準偏差は必ず10である。
②どのような単位の変数であろうとも その偏差値の平均は必ず50、標準偏差は必ず10である。

そうかぁー
テストとかでは
1点の重みが
重要になるから
偏差値を使うん
ですねー
それでは授業は
このくらいに
しましょうか
やったー
ケーキ〜
私ね〜〜〜〜
これとぉ　これがいいな――っ
「タルト・オ
フリュイ」
¥1,200-
「いちごの
ミルフィーユ」
¥1,500-
えっ?
えっ?
私はこれを
食べてみたい〜
「きのこのメルヘン風ケーキ」
¥2,500-
山本先生
いただきまーす♡
アセ
アセ
足りますかね…

4. 偏差値の解釈

偏差値の解釈には注意が必要です。

偏差値は、74ページで解説したように、

$$\text{偏差値}=\text{基準値}\times 10+50=\frac{(\text{個々のデータ})-(\text{平均})}{\text{標準偏差}}\times 10+50$$

という計算で求められます。さてルイちゃんのクラスは、61ページで明らかなように、全員で40人です。ルイちゃんのクラスの“女子”は、40ページで明らかなように、全員で18人です。69ページの偏差値の例は、クラス全員ではなく、女子だけを対象にして話が進められています。クラス全員を対象にして話が進められていれば、平均と標準偏差の値が女子だけの場合のそれとは当然異なるでしょうから、ルイちゃんとユミちゃんの偏差値に変化が生じただろうことは間違いありません。実際、クラス全員を対象にした場合の偏差値は、ルイちゃんのほうが高いのです。クラス全員のテスト結果を表4.1に掲載しました。ぜひ偏差値を計算してみてください。なお答えを先にいうと、ルイちゃんの日本史の偏差値は59.1、ユミちゃんの生物の偏差値は56.7です。

話を変えます。同一のテストを2年1組と2年2組でおこなったとしましょう。1組は1組だけで平均と標準偏差を求め、それをもとに偏差値を算出しました。2組は2組だけで平均と標準偏差を求め、それをもとに偏差値を算出しました。1組のAさんの偏差値は57でした。2組のBさんの偏差値も57でした。一見するとAさんもBさんも同じ実力を有しているように思われます。しかし、です。偏差値を求める際の平均と標準偏差の出どころがAさんとBさんでは異なるのですから、1組と2組の平均と標準偏差が一致していないかぎり、二人の偏差値は比較できないのです。

また話を変えます。Aさんは4月にある予備校の模擬試験を受けました。偏差値は54でした。夏期講習で懸命に勉強したAさんは、どのくらい実力がついたか確かめようと、4月とは異なる予備校の模擬試験を9月に受けました。偏差値は62でした。一見するとAさんは実力アップしたように思われます。しかし、です。4月と9月の模擬試験の受験者は、模擬試験の主催者が異なるのですから、顔ぶれがかなり異なるはずです。偏差値を求める際の平均と標準偏差の出どころが4月と9月では異なるのですから、双方の偏差値は比較できないのです。

どうでしょう。偏差値の解釈って、奥が深いのです。

表 4.1　日本史と生物のテスト結果（ルイちゃんのクラス全員）

		日本史	生物
女子全員	ルイ	73	59
	ユミ	61	73
	A	14	47
	B	41	38
	C	49	63
	D	87	56
	E	69	15
	F	65	53
	G	36	80
	H	7	50
	I	53	41
	J	100	62
	K	57	44
	L	45	26
	M	56	91
	N	34	35
	O	37	53
	P	70	68

		日本史	生物
男子全員	い	54	2
	ろ	93	7
	は	91	98
	に	37	85
	ほ	44	100
	へ	16	29
	と	12	57
	ち	44	37
	り	4	95
	ぬ	17	39
	る	66	70
	を	53	14
	わ	14	97
	か	73	39
	よ	6	75
	た	22	80
	れ	69	77
	そ	95	14
	つ	16	24
	ね	37	91
	な	14	36
	ら	88	76
	クラス全員の平均	48.0	54.9
	クラス全員の標準偏差	27.5	26.9

例題と解答

例題

下表は、高校生女子の100m走の結果を記したものです。

	100m走 （秒）
Aさん	16.3
Bさん	22.4
Cさん	18.5
Dさん	18.7
Eさん	20.1
平均	19.2
標準偏差	2.01

(1)「100m走の基準値」の平均が0なのを確認しなさい。

(2)「100m走の基準値」の標準偏差が1なのを確認しなさい。

解答

(1)「100m 走の基準値」の平均

$$=\frac{\left(\frac{16.3-19.2}{2.01}\right)+\left(\frac{22.4-19.2}{2.01}\right)+\left(\frac{18.5-19.2}{2.01}\right)+\left(\frac{18.7-19.2}{2.01}\right)+\left(\frac{20.1-19.2}{2.01}\right)}{5}$$

$$=\frac{\left\{\frac{(16.3-19.2)+(22.4-19.2)+(18.5-19.2)+(18.7-19.2)+(20.1-19.2)}{2.01}\right\}}{5}$$

分子を整理しました。

$$=\frac{\left\{\frac{16.3+22.4+18.5+18.7+20.1-19.2-19.2-19.2-19.2-19.2}{2.01}\right\}}{5}$$

個々のデータと−19.2とに分子を分けました。

$$=\frac{\left\{\frac{96-19.2\times 5}{2.01}\right\}}{5}$$

$$=\frac{\left\{\frac{96-96}{2.01}\right\}}{5}$$

$$=\frac{0}{5}$$

$$=0$$

(2)「100m 走の基準値」の標準偏差

$$=\sqrt{\frac{\left(\frac{16.3-19.2}{2.01}-0\right)^2+\left(\frac{22.4-19.2}{2.01}-0\right)^2+\left(\frac{18.5-19.2}{2.01}-0\right)^2+\left(\frac{18.7-19.2}{2.01}-0\right)^2+\left(\frac{20.1-19.2}{2.01}-0\right)^2}{5}}$$

$$=\sqrt{\frac{\left(\frac{16.3-19.2}{2.01}\right)^2+\left(\frac{22.4-19.2}{2.01}\right)^2+\left(\frac{18.5-19.2}{2.01}\right)^2+\left(\frac{18.7-19.2}{2.01}\right)^2+\left(\frac{20.1-19.2}{2.01}\right)^2}{5}}$$

$$=\sqrt{\frac{\left\{\frac{(16.3-19.2)^2+(22.4-19.2)^2+(18.5-19.2)^2+(18.7-19.2)^2+(20.1-19.2)^2}{2.01^2}\right\}}{5}}$$

分子を整理しました。

$$=\sqrt{\frac{1}{2.01^2}\times\frac{(16.3-19.2)^2+(22.4-19.2)^2+(18.5-19.2)^2+(18.7-19.2)^2+(20.1-19.2)^2}{5}}$$

分子を整理しました。

$$=\frac{1}{2.01}\times\sqrt{\frac{(16.3-19.2)^2+(22.4-19.2)^2+(18.5-19.2)^2+(18.7-19.2)^2+(20.1-19.2)^2}{5}}$$

$$=\frac{1}{\text{「100m走」の標準偏差}}\times\text{「100m走」の標準偏差}$$

78ページの表をよく見てください。

$$=1$$

まとめ

- 基準化（※標準化とも呼ばれる）は、平均からの離れ具合やデータの「散らばりの程度」をもとに、データの価値を検討しやすくするデータ変換である。
- 基準化をおこなえば、
  - 満点が異なる変数の比較
  - 単位が異なる変数の比較

  が可能になる。
- 基準化されたデータは基準値と呼ばれる。
- 偏差値は、基準値を応用したものである。

◆第5章◆

確率を求めよう！

✿ 1. 確率密度関数 ✿

統計学では
「〈コレコレナニナニの確率〉
は0.05より小さい」
なんていう――
確率のおはなしが
しばしば登場します
今日は
〈コレコレナニナニの確率〉
を求めるのに必要な
知識をお話しします
じーっ
「山本サンって
けっこう
いいカンジ
じゃない？」
どこが… 私には
五十嵐さんという
あこがれの人が…
ルイちゃん？
あ　ごめんなさい！
確率って
天気予報なんかに出てくる
あの確率のこと？
そうです
今日の
内容は
ちょっと
抽象的です
抽象的-!?
しかしこれから勉強することは
統計学のさまざまな場面に
登場するから
がんばってくださいね ~~~~
は、はい…

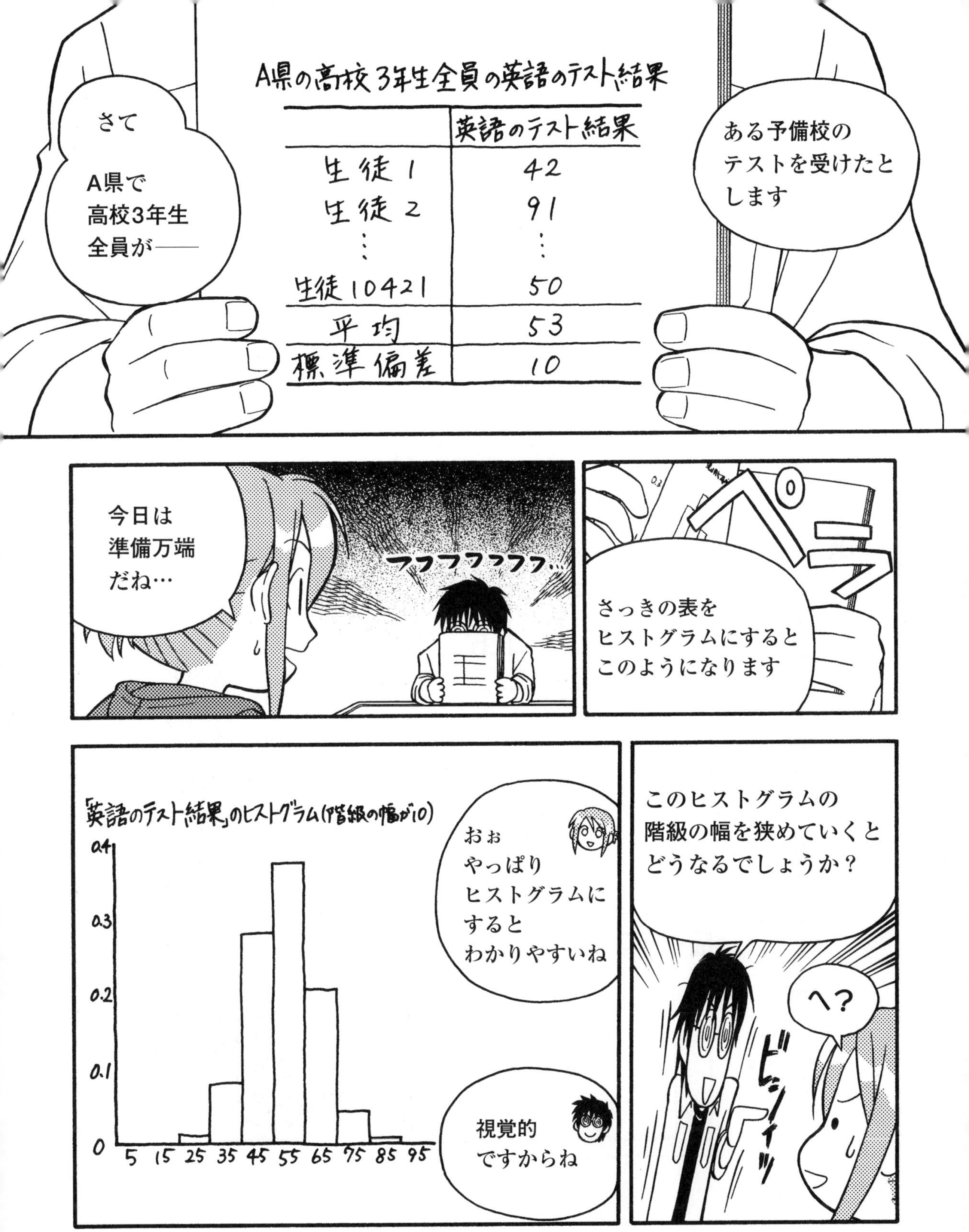
さて
A県で
高校3年生
全員が——
A県の高校3年生全員の英語のテスト結果
英語のテスト結果
生徒1 42
生徒2 91
⋮ ⋮
生徒10421 50
平均 53
標準偏差 10
ある予備校の
テストを受けたと
します
今日は
準備万端
だね…
フフフフフフフフ…
ペラ
さっきの表を
ヒストグラムにすると
このようになります
「英語のテスト結果」のヒストグラム(階級の幅が10)
0.4
0.3
0.2
0.1
0
5 15 25 35 45 55 65 75 85 95
おぉ
やっぱり
ヒストグラムに
すると
わかりやすいね
視覚的
ですからね
このヒストグラムの
階級の幅を狭めていくと
どうなるでしょうか？
へ？
ビシィィッ

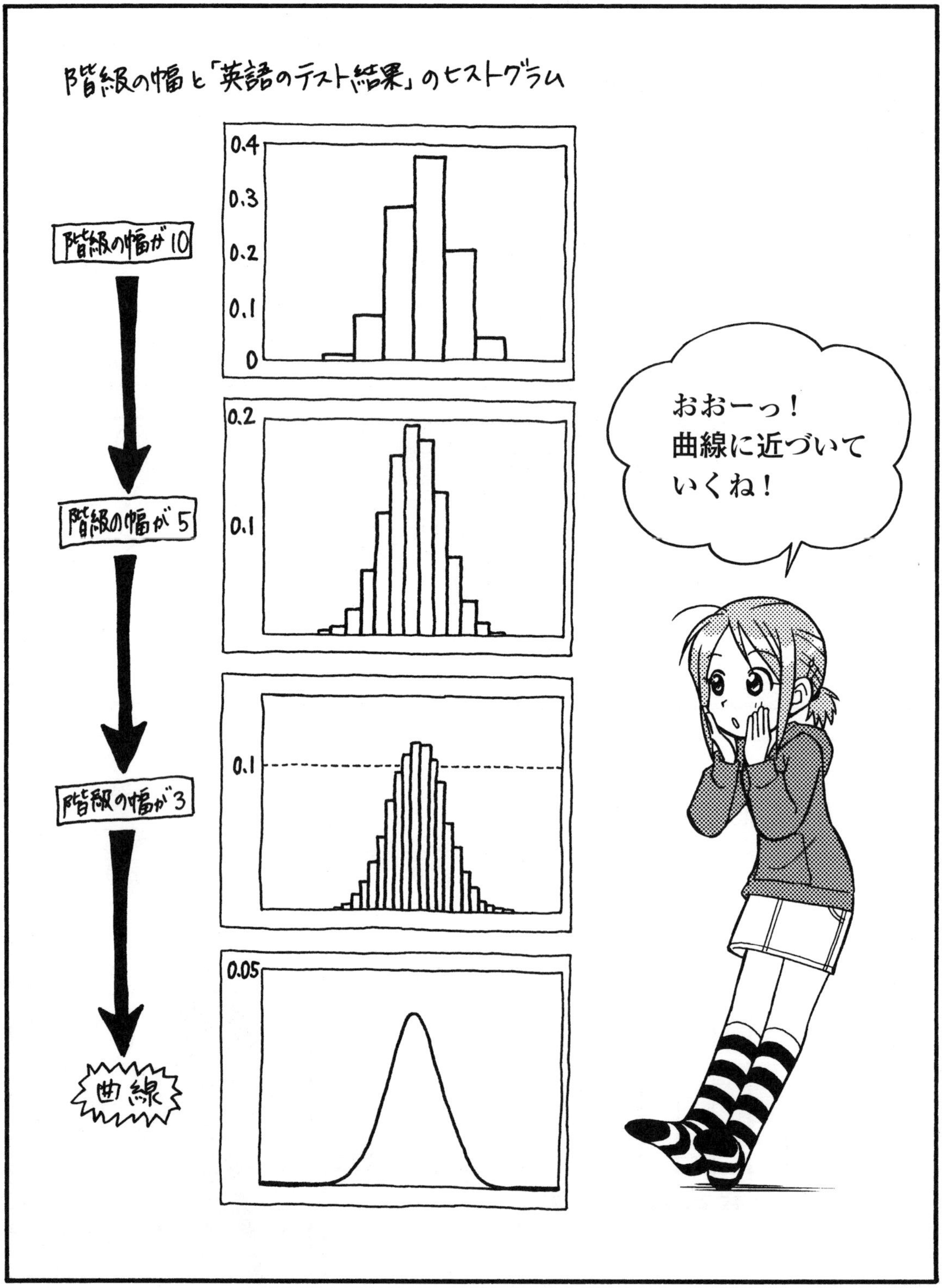

階級の幅と「英語のテスト結果」のヒストグラム
階級の幅が10
0.4
0.3
0.2
0.1
0
階級の幅が5
0.2
0.1
階級の幅が3
0.1
曲線
0.05
おおーっ！
曲線に近づいていくね！

ヒストグラムにおける
階級の幅を極限まで
狭めた曲線の式を…
統計学では
『確率密度関数』と
呼びます！
確率密度関数
クイッ

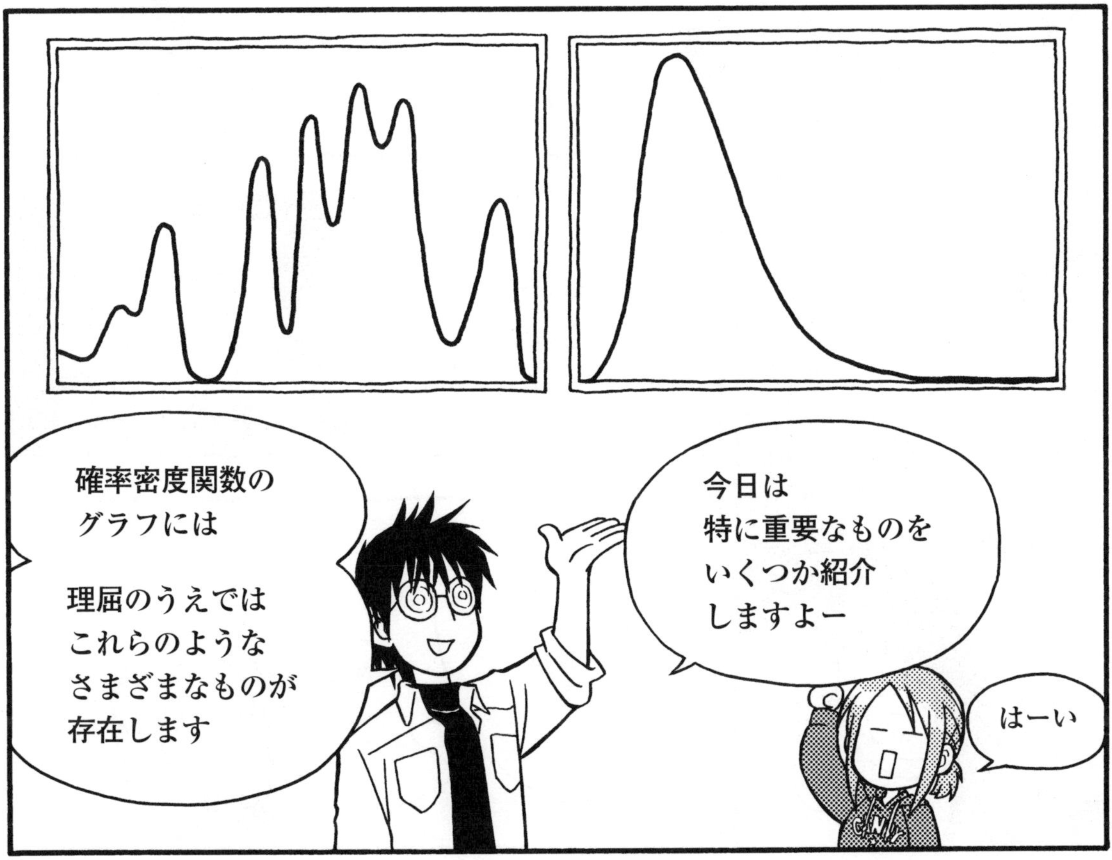
確率密度関数の
グラフには
理屈のうえでは
これらのような
さまざまなものが
存在します
今日は
特に重要なものを
いくつか紹介
しますよー
はーい

✿ 2. 正規分布 ✿

$f(x)=\frac{1}{\sqrt{2\pi}\times x\text{の標準偏差}}e^{-\frac{1}{2}\left(\frac{x-x\text{の平均}}{x\text{の標準偏差}}\right)^2}$
はいコレ
なんじゃこりゃ〜〜!?
統計学でよく出てくる確率密度関数ですよ
この『e』って何よーっ
『e』は「自然対数の底」と呼ばれるもので2.7182……という数値です
底
『π』みたいなものだと思っておけばいいですよ
うー
それならなんとか…
あっはっは

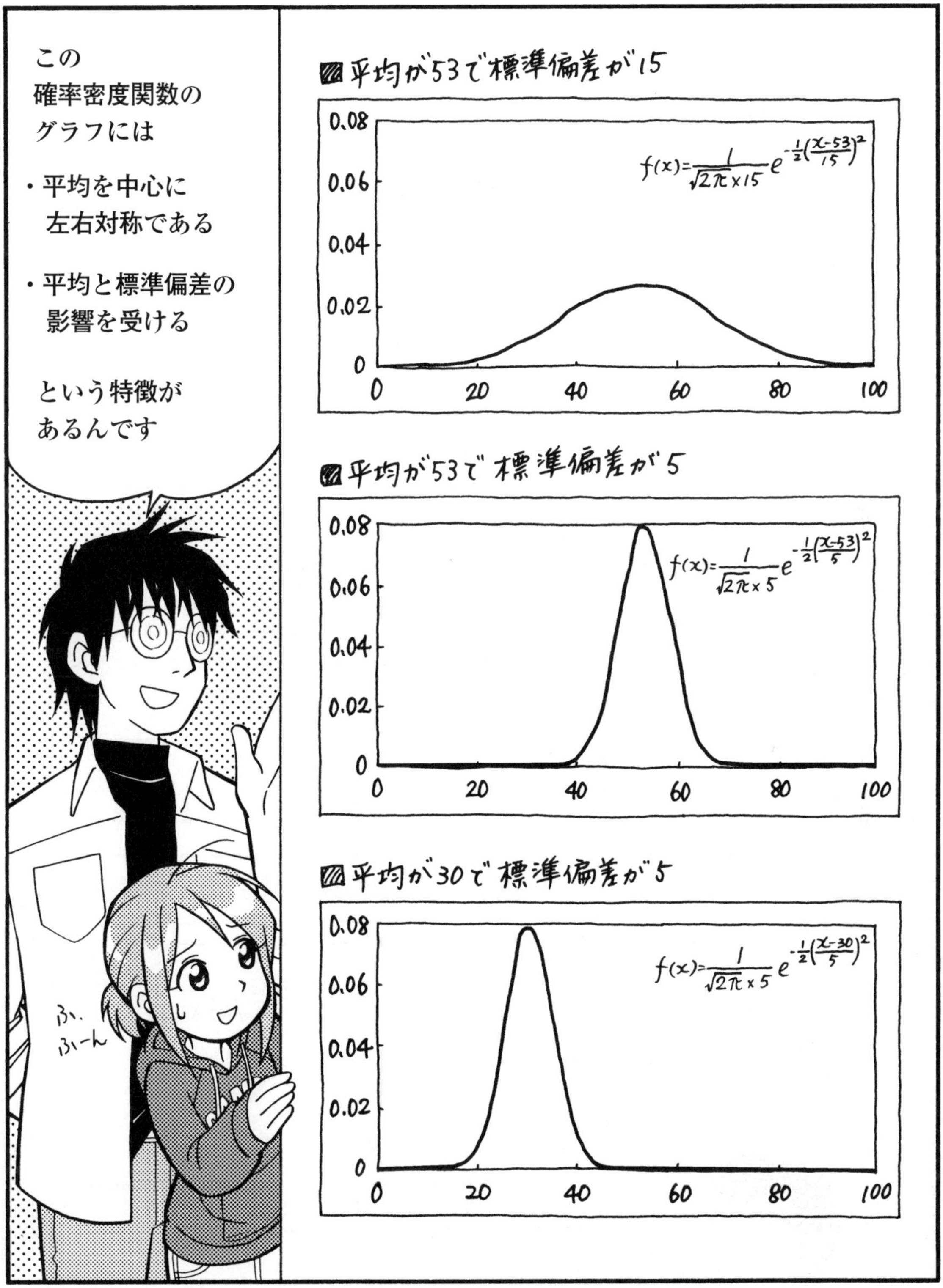
この
確率密度関数の
グラフには
・平均を中心に
左右対称である
・平均と標準偏差の
影響を受ける
という特徴が
あるんです
平均が53で標準偏差が15
$f(x)=\frac{1}{\sqrt{2\pi}\times15}e^{-\frac{1}{2}\left(\frac{x-53}{15}\right)^2}$
0.08 0.06 0.04 0.02 0
0 20 40 60 80 100
平均が53で標準偏差が5
$f(x)=\frac{1}{\sqrt{2\pi}\times5}e^{-\frac{1}{2}\left(\frac{x-53}{5}\right)^2}$
0.08 0.06 0.04 0.02 0
0 20 40 60 80 100
平均が30で標準偏差が5
$f(x)=\frac{1}{\sqrt{2\pi}\times5}e^{-\frac{1}{2}\left(\frac{x-30}{5}\right)^2}$
0.08 0.06 0.04 0.02 0
0 20 40 60 80 100
ふ、
ふーん

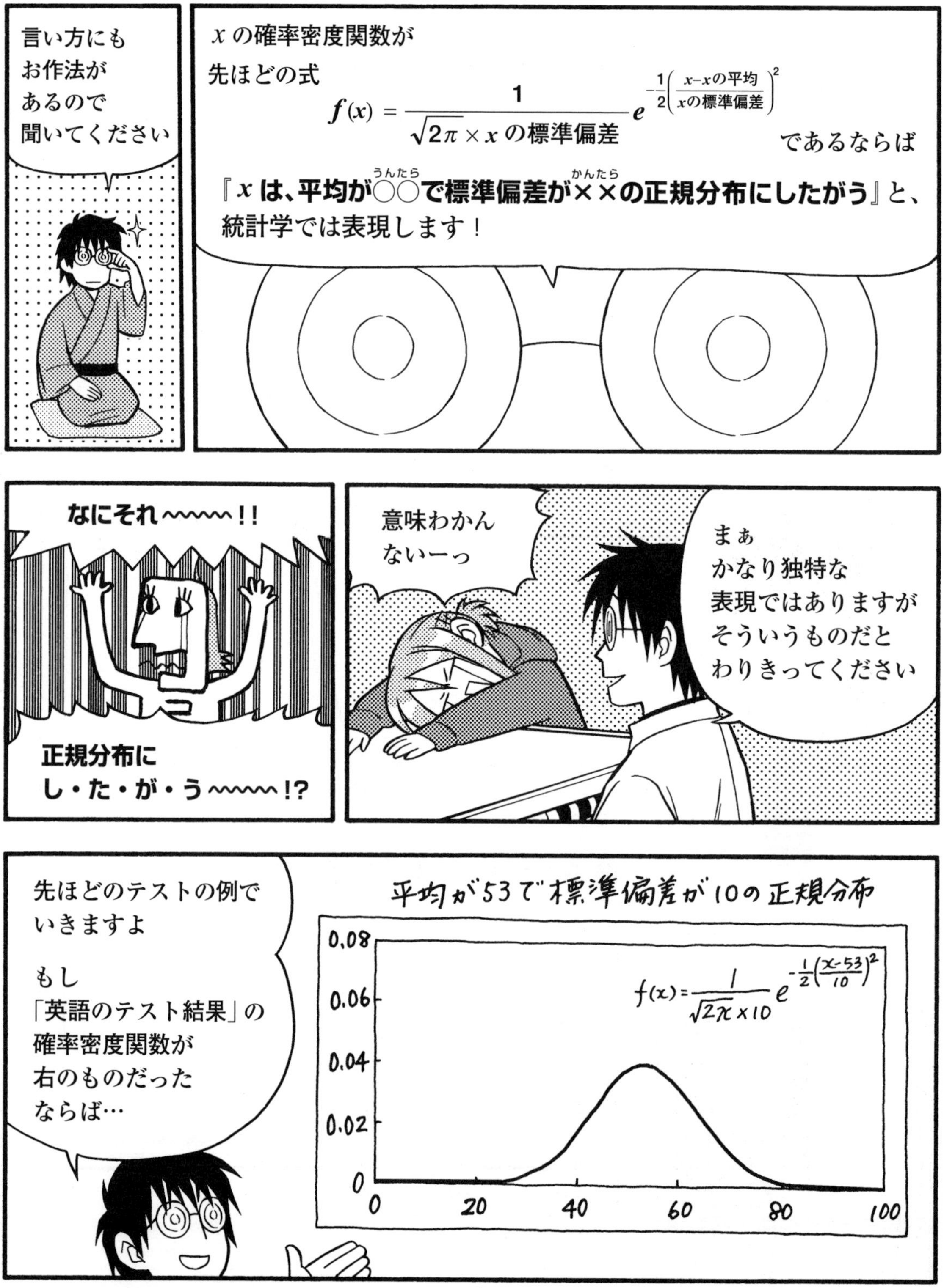

言い方にもお作法があるので聞いてください
xの確率密度関数が
先ほどの式
$f(x) = \dfrac{1}{\sqrt{2\pi} \times x\text{の標準偏差}} e^{-\frac{1}{2}\left(\frac{x - x\text{の平均}}{x\text{の標準偏差}}\right)^2}$
であるならば
『xは、平均が○○《うんたら》で標準偏差が××《かんたら》の正規分布にしたがう』と、
統計学では表現します！
なにそれ〜〜〜!!
正規分布に
し・た・が・う〜〜〜!?
意味わかんないーっ
まぁ
かなり独特な
表現ではありますが
そういうものだと
わりきってください
先ほどのテストの例でいきますよ
もし
「英語のテスト結果」の
確率密度関数が
右のものだった
ならば…
平均が53で標準偏差が10の正規分布
$f(x) = \dfrac{1}{\sqrt{2\pi} \times 10} e^{-\frac{1}{2}\left(\frac{x-53}{10}\right)^2}$
0.08
0.06
0.04
0.02
0
0
20
40
60
80
100

『「英語のテスト結果」は、
平均が53で標準偏差が10の
正規分布にしたがう』と
表現するわけです
しゅ〜〜っ
な、
なるほどーッ

3. 標準正規分布

つぎの話を
しますよ
ハイ

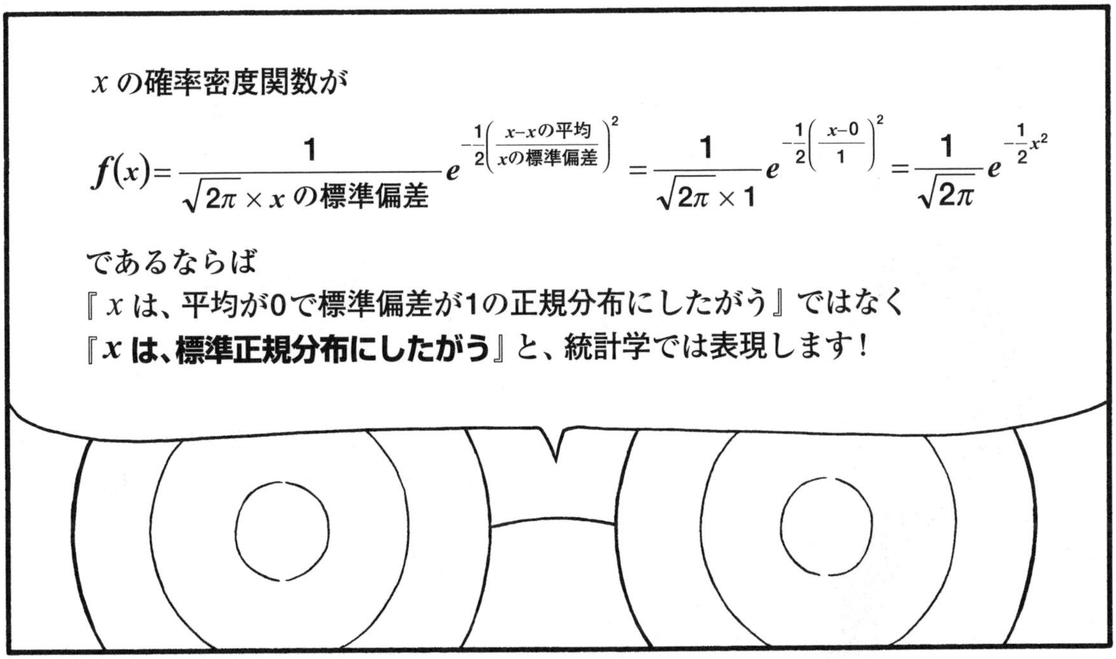

x の確率密度関数が
$$f(x)=\frac{1}{\sqrt{2\pi}\times x\text{の標準偏差}}e^{-\frac{1}{2}\left(\frac{x-x\text{の平均}}{x\text{の標準偏差}}\right)^2}=\frac{1}{\sqrt{2\pi}\times 1}e^{-\frac{1}{2}\left(\frac{x-0}{1}\right)^2}=\frac{1}{\sqrt{2\pi}}e^{-\frac{1}{2}x^2}$$
であるならば
『 x は、平均が0で標準偏差が1の正規分布にしたがう』ではなく
『 x は、標準正規分布にしたがう』と、統計学では表現します！

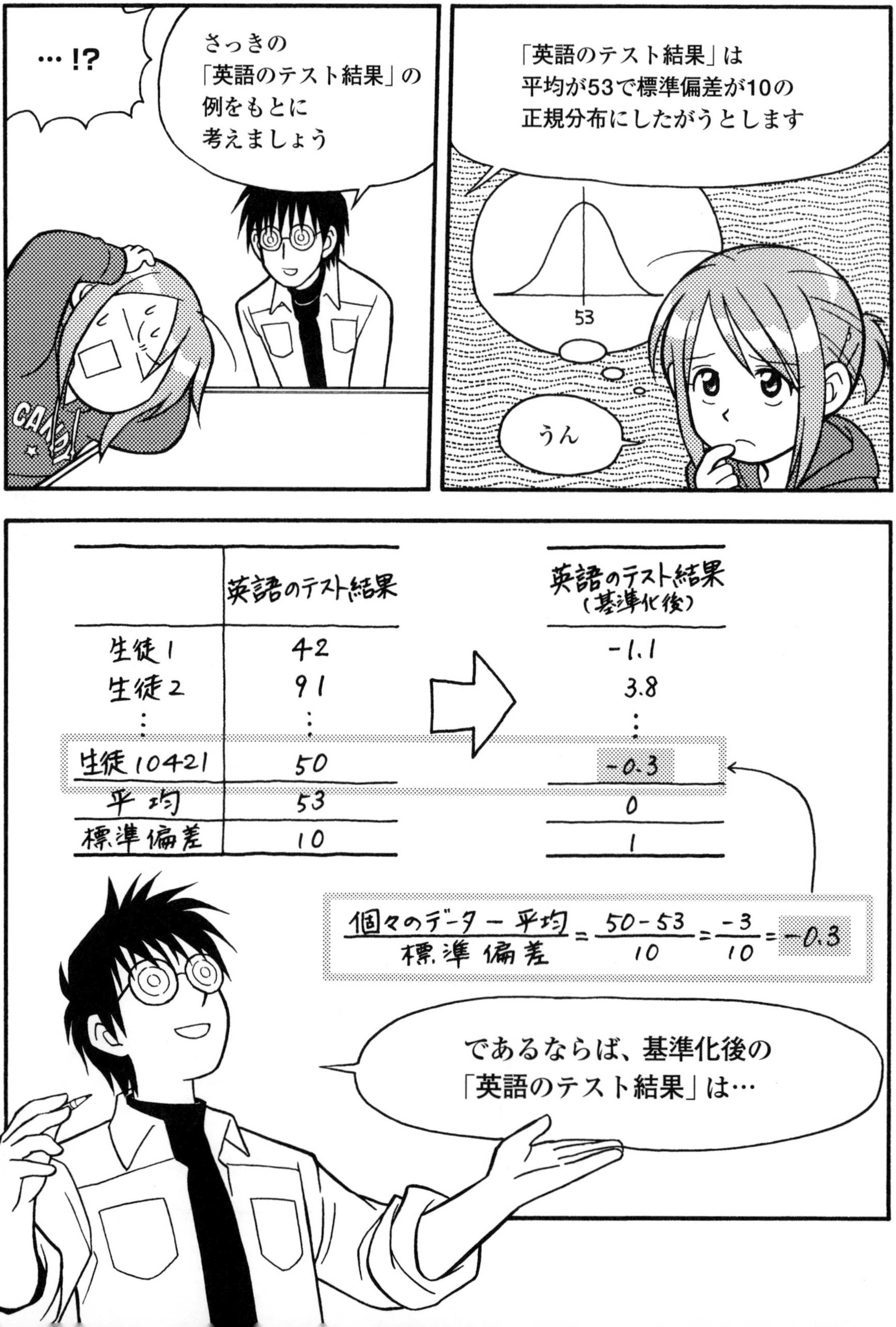
…!?
さっきの「英語のテスト結果」の例をもとに考えましょう
「英語のテスト結果」は平均が53で標準偏差が10の正規分布にしたがうとします
53
うん
英語のテスト結果
英語のテスト結果（基準化後）
生徒1　42　-1.1
生徒2　91　3.8
⋮　⋮　⋮
生徒10421　50　-0.3
平均　53　0
標準偏差　10　1
個々のデータ − 平均 / 標準偏差 = 50−53 / 10 = −3 / 10 = −0.3
であるならば、基準化後の「英語のテスト結果」は…

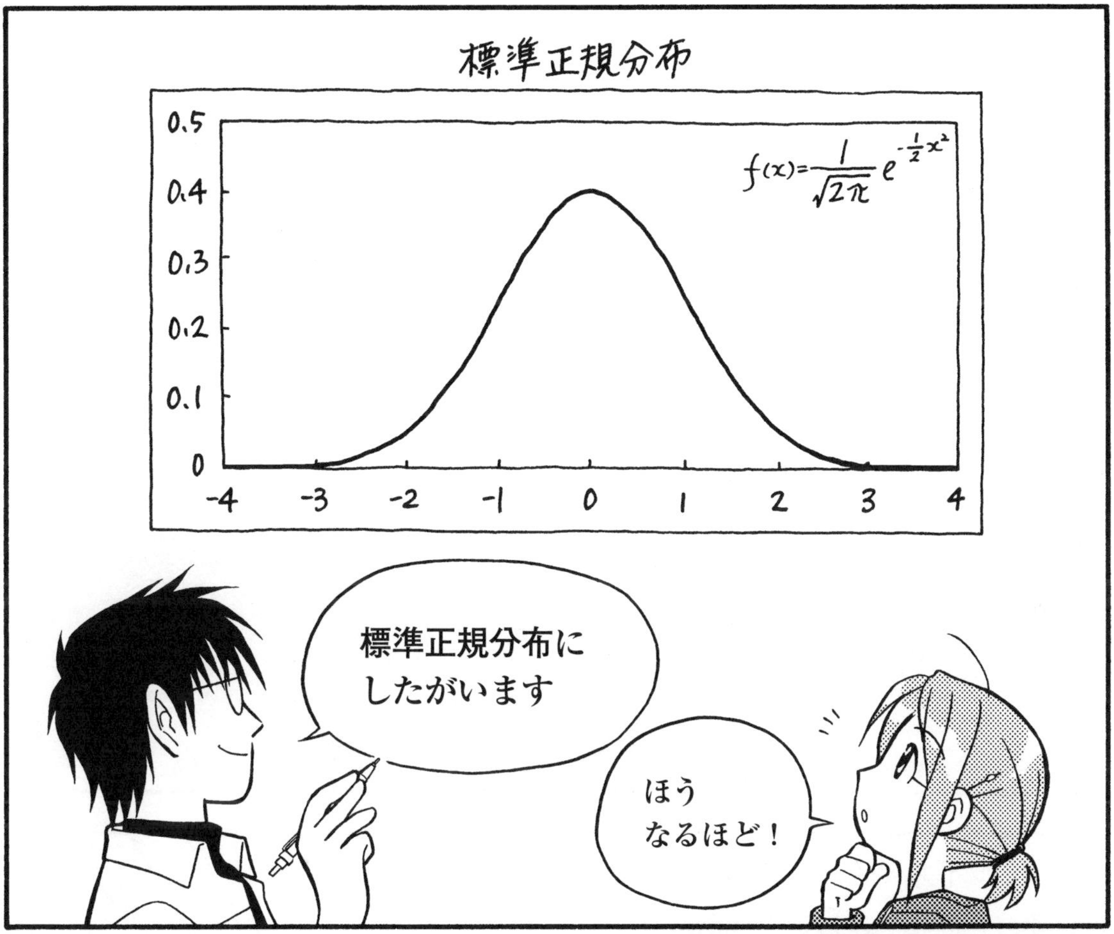
標準正規分布
0.5
0.4
0.3
0.2
0.1
0
-4 -3 -2 -1 0 1 2 3 4
$f(x)=\frac{1}{\sqrt{2\pi}}e^{-\frac{1}{2}x^2}$
標準正規分布にしたがいます
ほうなるほど！

もう少しで見えてきますよ！
がんばってついてきてください！
な…なにがー？

標準正規分布表

z	0.00	0.01	0.02	0.03	0.04	0.05	0.06	0.07	0.08	0.09
0.0	0.0000	0.0040	0.0080	0.0120	0.0160	0.0199	0.0239	0.0279	0.0319	0.0359
	0.0398	0.0438	0.0478	0.0517	0.0557	0.0596	0.0636	0.0675	0.0714	0.0753
	0.0793	0.0832	0.0871	0.0910	0.0948	0.0987	0.1026	0.1064	0.1103	0.1141
	:	:	:	:	:	:	:	:	:	:
	0.4641	0.4649	0.4656	0.4664	0.4671	0.4678	0.4686	0.4693	0.4699	0.4706
	0.4713	0.4719	0.4726	0.4732	0.4738	0.4744	0.4750	0.4756	0.4761	0.4767
	:	:	:	:	:	:	:	:	:	:

ルイちゃんっ！ この表は…
0
z
この部分の面積がわかるものなんですよーっ
がくがく
すうじいっぱ〜い♡
えっ？
面積？
どゆこと？
おお〜っ
復活！

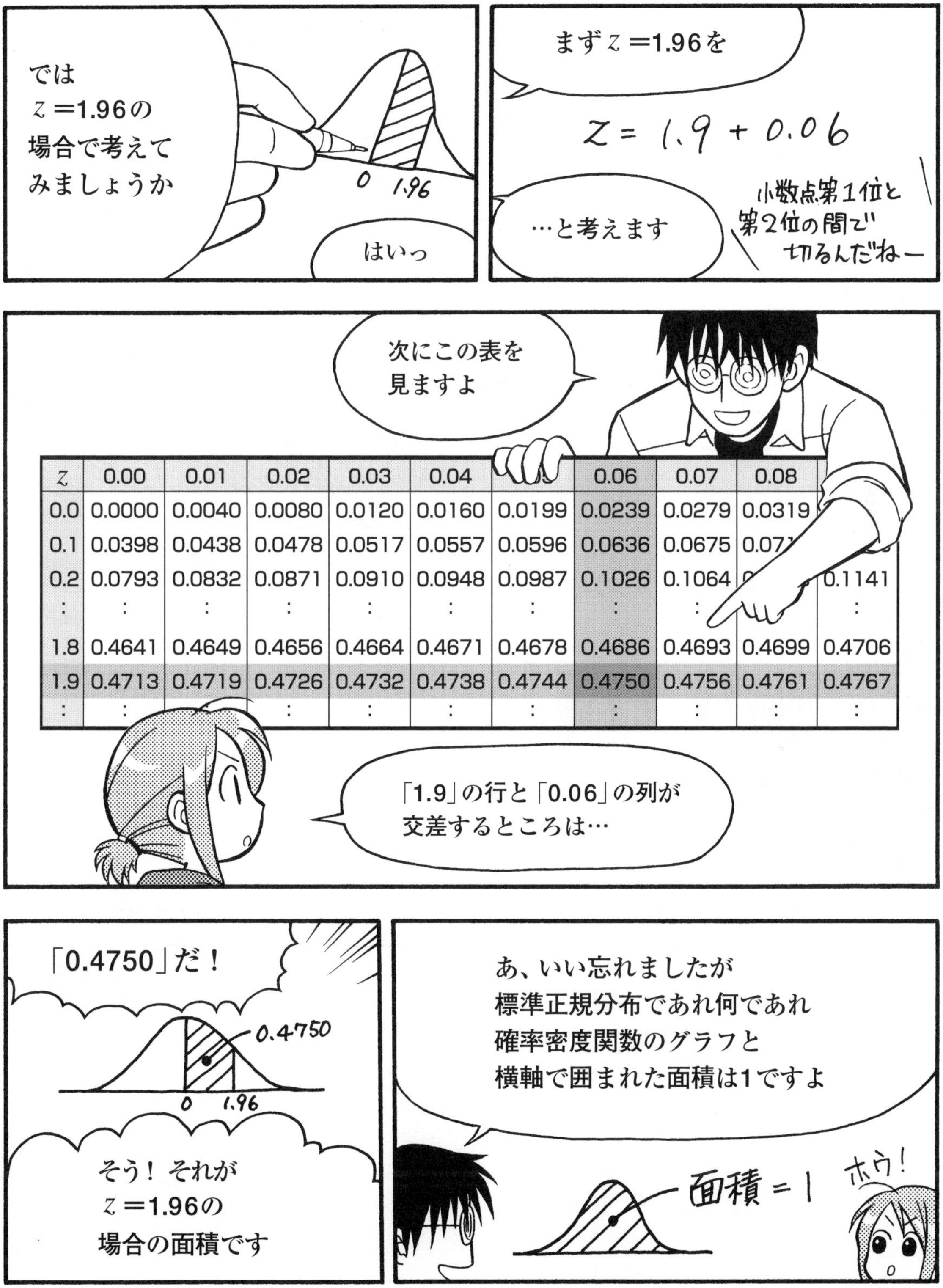

では
z ＝1.96の
場合で考えて
みましょうか
0 1.96
はいっ
まず z ＝1.96を
Z = 1.9 + 0.06
…と考えます
小数点第1位と
第2位の間で
切るんだねー
次にこの表を
見ますよ

z	0.00	0.01	0.02	0.03	0.04		0.06	0.07	0.08	
0.0	0.0000	0.0040	0.0080	0.0120	0.0160	0.0199	0.0239	0.0279	0.0319	
0.1	0.0398	0.0438	0.0478	0.0517	0.0557	0.0596	0.0636	0.0675		
0.2	0.0793	0.0832	0.0871	0.0910	0.0948	0.0987	0.1026	0.1064		0.1141
:	:	:	:	:	:	:	:	:		:
1.8	0.4641	0.4649	0.4656	0.4664	0.4671	0.4678	0.4686	0.4693	0.4699	0.4706
1.9	0.4713	0.4719	0.4726	0.4732	0.4738	0.4744	0.4750	0.4756	0.4761	0.4767
:	:	:	:	:	:	:	:	:	:	:

「1.9」の行と「0.06」の列が
交差するところは…
「0.4750」だ！
0.4750
0 1.96
そう！ それが
z ＝1.96の
場合の面積です
あ、いい忘れましたが
標準正規分布であれ何であれ
確率密度関数のグラフと
横軸で囲まれた面積は1ですよ
面積 = 1
ホウ！

さて、これから説明することは
本日のメインディッシュです
しっかり聞いてくださいね
おーっ
標準正規分布のグラフと
横軸とで囲まれた面積は、
割合および確率と同一視できます
これからふたつの例を出すので
がんばって理解してくださいね～

例Ⅰ

Ｂ県の高校1年生全員がある予備校の数学のテストを受けました。採点したところ、「数学のテスト結果」は平均が45で標準偏差が10の正規分布にしたがうとみなせることがわかりました。

さて、よく考えてください。以下に提示する5つの文章は同義です。

①平均が45で標準偏差が10の正規分布において、下図斜線部分の面積は、0.5である。

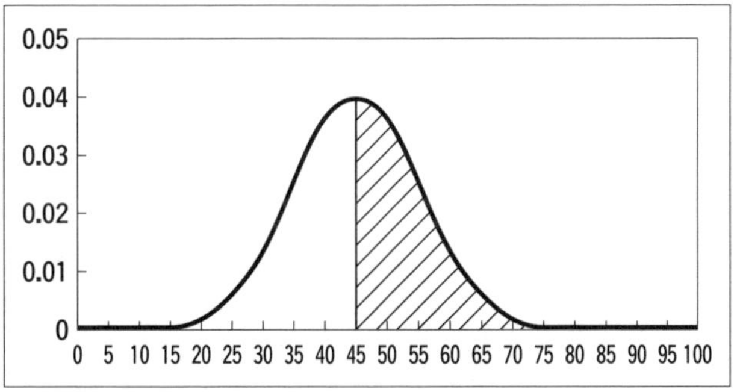

②得点が45点以上だった受験者の割合は、受験者全員の0.5（＝50％）を占める。

③受験者全員の中から1人が無作為に抽出されたとする。彼の得点が45点以上だった確率は、0.5（＝50％）である。

④「数学のテスト結果」を基準化した標準正規分布において、

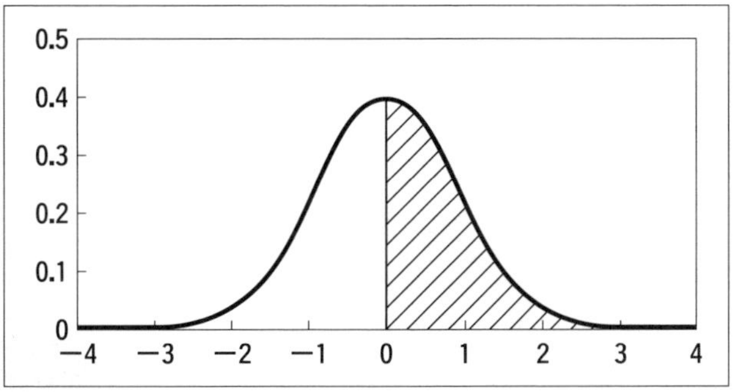

0以上だった受験者の割合は、受験者全員の0.5（＝50％）を占める。

⑤受験者全員の中から1人が無作為に抽出されたとする。「数学のテスト結果」を基準化した標準正規分布において、彼が0以上だった確率は、0.5（＝50％）である。

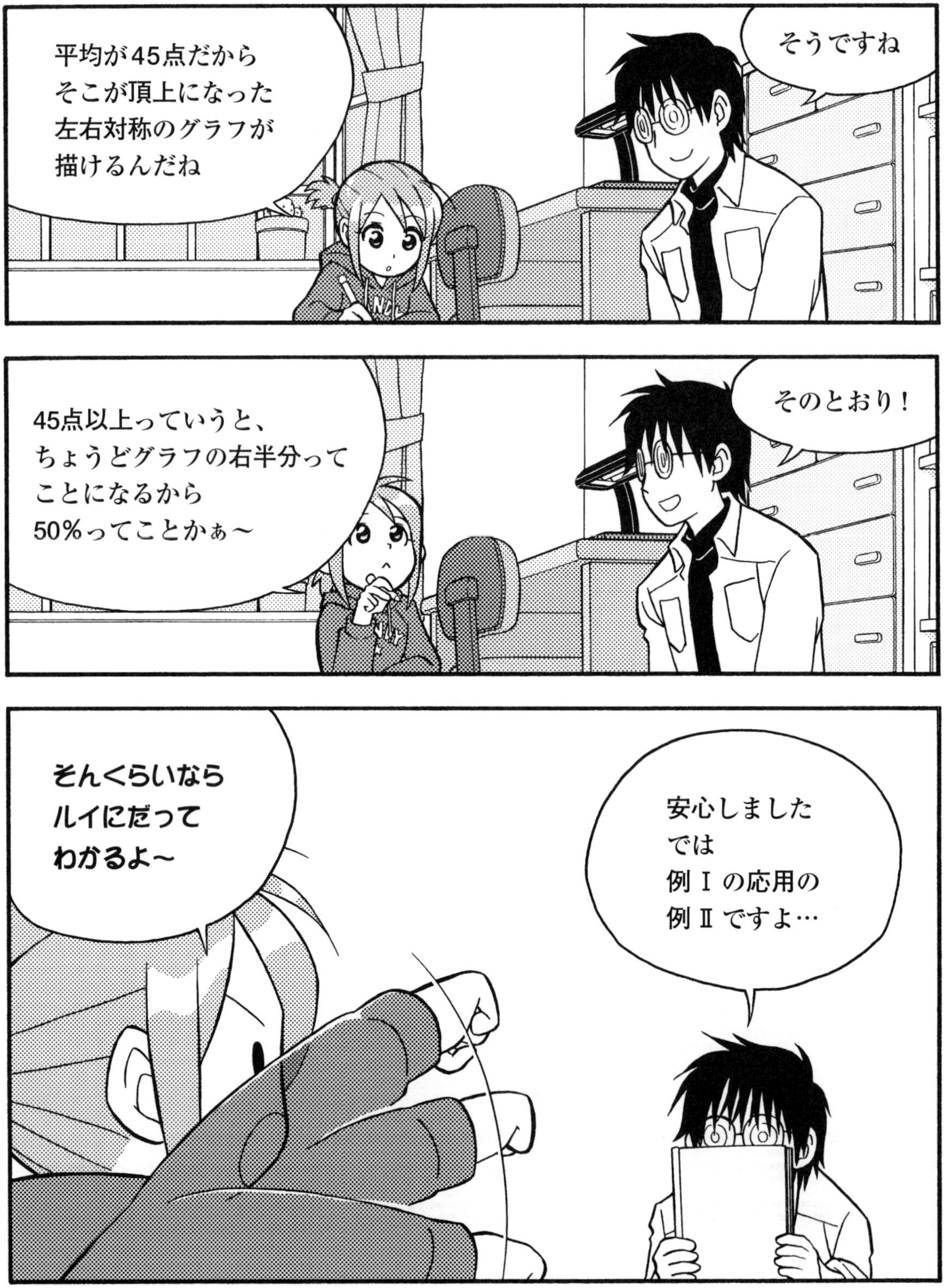
平均が45点だから
そこが頂上になった
左右対称のグラフが
描けるんだね
そうですね
45点以上っていうと、
ちょうどグラフの右半分って
ことになるから
50%ってことかぁ～
そのとおり！
そんくらいなら
ルイにだって
わかるよ～
安心しました
では
例Ⅰの応用の
例Ⅱですよ…

例Ⅱ

B県の高校1年生全員がある予備校の数学のテストを受けました。採点したところ、「数学のテスト結果」は平均が45で標準偏差が10の正規分布にしたがうとみなせることがわかりました。

さて、よく考えてください。以下に提示する5つの文章は同義です。なお④を最初に読んでください。

①平均が45で標準偏差が10の正規分布において、下図斜線部分の面積は、0.5−0.4641＝0.0359である。

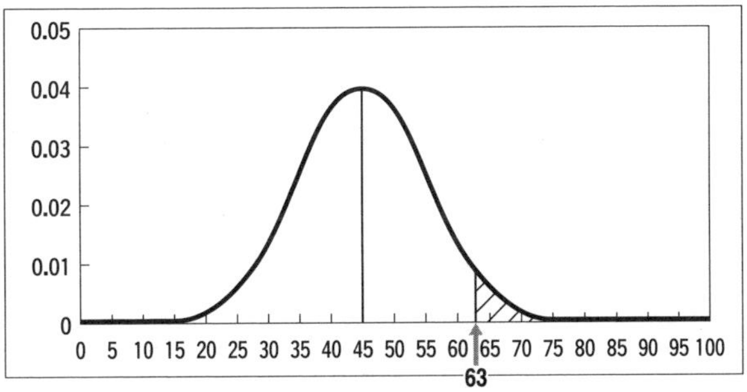

②得点が63点以上だった受験者の割合は、受験者全員の0.5−0.4641＝0.0359（＝3.59％）を占める。

③受験者全員の中から1人が無作為に抽出されたとする。彼の得点が63点以上だった確率は、0.5−0.4641＝0.0359（＝3.59％）である。

④「数学のテスト結果」を基準化した標準正規分布において、

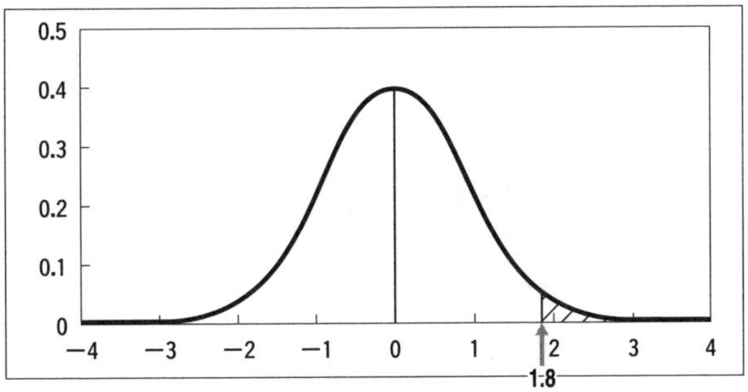

$1.8=\dfrac{18}{10}=\dfrac{63-45}{10}=\dfrac{\text{個々のデーター平均}}{\text{標準偏差}}$ 以上だった受験者の割合は、標準正規分布表から明らかなように、受験者全員の0.5−0.4641＝0.0359（＝3.59％）を占める。

⑤受験者全員の中から1人が無作為に抽出されたとする。「数学のテスト結果」を基準化した標準正規分布において、彼が1.8以上だった確率は、0.5−0.4641＝0.0359（＝3.59％）である。

おぉ〜　たしかに
面積＝割合＝確率
だ〜！
わかってもらえた
ようで
なによりです
ホロリ…
えっへん！
CINDY
標準正規分布にかぎらず
どの確率密度関数でも
面積＝割合＝確率 という
関係が成立します
覚えといてくださいね
はーい！
では次の
確率密度関数を
紹介しましょう
ほいな

4. カイ二乗分布

カイ二乗分布っていうのがあります
名前からしてヤッカイそうだな〜
後悔
いや…面白かったですよ

x の確率密度関数が

$$f(x)=\begin{cases} x>0 \text{ の場合は} & \dfrac{1}{2^{\frac{\text{自由度}}{2}}\times\int_0^\infty x^{\frac{\text{自由度}}{2}-1}e^{-x}dx}\times x^{\frac{\text{自由度}}{2}-1}\times e^{-\frac{x}{2}} \\ \text{上記以外の場合は} & 0 \end{cases}$$

ならば、

『**x は、自由度○○《なになに》のカイ二乗分布にしたがう**』と、統計学では表現します

ギャーーッ

数学者でもなきゃこの式そのものを議論することはまずありませんから安心してください
なによその式〜〜
ルイちゃんの反応が面白いから見せました
ナヌ？
とりあえず自由度が2と10と20の場合のグラフを見てみましょう

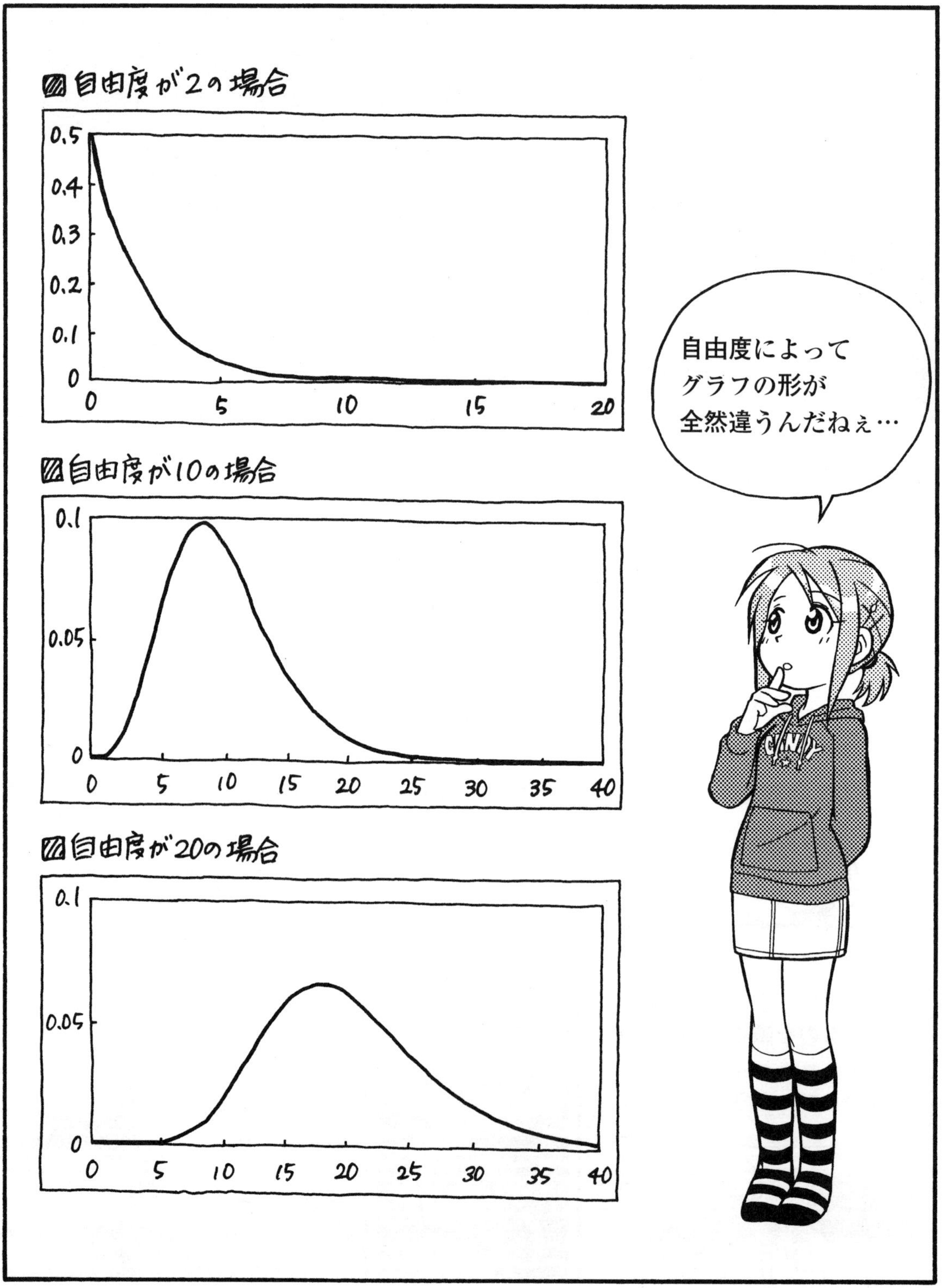
自由度が2の場合
0.5 0.4 0.3 0.2 0.1 0
0 5 10 15 20
自由度が10の場合
0.1 0.05 0
0 5 10 15 20 25 30 35 40
自由度が20の場合
0.1 0.05 0
0 5 10 15 20 25 30 35 40
自由度によって
グラフの形が
全然違うんだねぇ…

ってか
“自由度”って
何よ!?
ドー
あ——
そうですね——
1次関数 $f(x)=ax+b$
における a は
何という名前だったで
しょうか？
え…
いきなり何…？
b
f(x)=ax+b
うーんと…
『傾き』だっけ…？
そうです！
a の値が変われば
グラフの傾きも当然
変わりますよね
そだね
『自由度』も『傾き』と同様
グラフの形状に
影響をおよぼす数値です
だから自由度の値が
変わればグラフの形状も
変わるわけです
なんだ
自由度って
それだけの
こと？
はい
それだけ
です

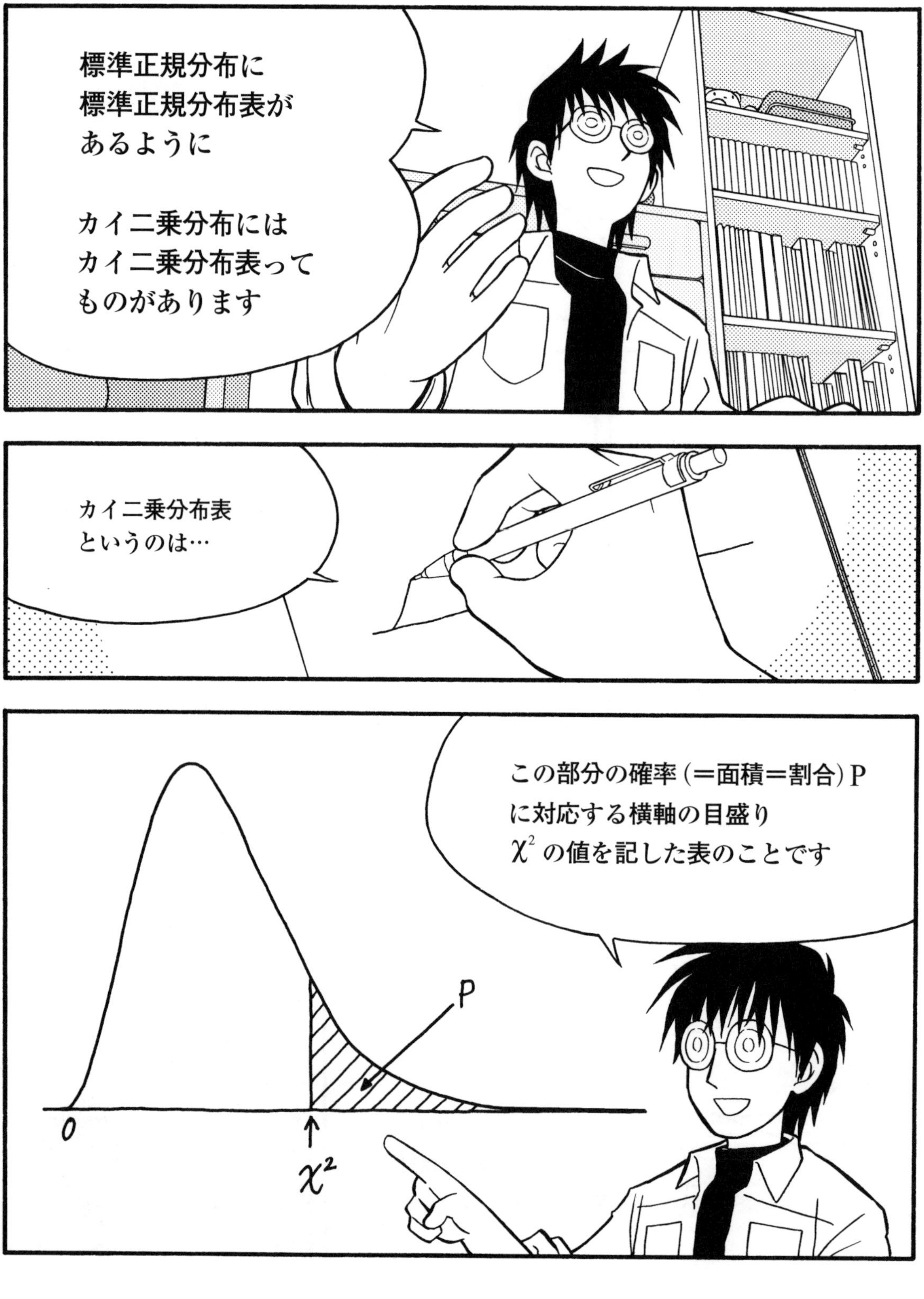

標準正規分布に
標準正規分布表が
あるように

カイ二乗分布には
カイ二乗分布表って
ものがあります
カイ二乗分布表
というのは…
この部分の確率（＝面積＝割合）P
に対応する横軸の目盛り
χ^2 の値を記した表のことです
P
0
χ^2

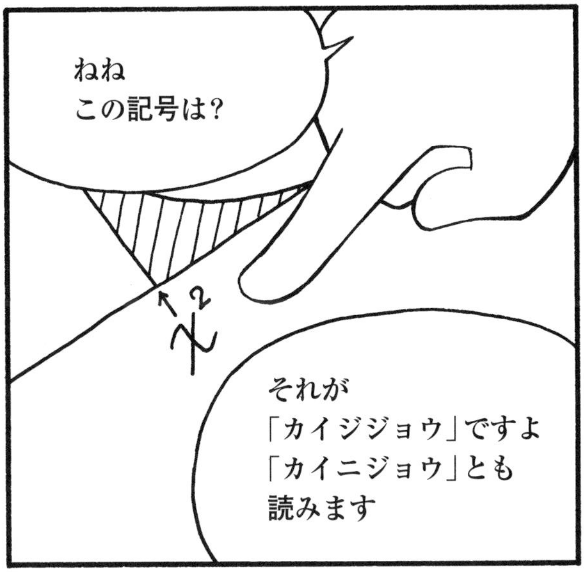
ねね
この記号は？
χ^2
それが
「カイジジョウ」ですよ
「カイニジョウ」とも
読みます

ふーん
では表を
見てみましょう

カイ二乗分布表

自由度 ＼ P	0.995	0.99	0.975	0.95	0.05	0.025	0.01	0.005
1	0.000039	0.0002	0.0010	0.0039	3.8415	5.0239	6.6349	7.8794
2	0.0100	0.0201	0.0506	0.1026	5.9915	7.3778	9.2104	10.5965
3	0.0717	0.1148	0.2158	0.3518	7.8147	9.3484	11.3449	12.8381
4	0.2070	0.2971	0.4844	0.7107	9.4877	11.1433	13.2767	14.8602
5	0.4118	0.5543	0.8312	1.1455	11.0705	12.8325	15.0863	16.7496
6	0.6757	0.8721	1.2373	1.6354	12.5916	14.4494	16.8119	18.5475
7	0.9893	1.2390	1.6899	2.1673	14.0671	16.0128	18.4753	20.2777
8	1.3444	1.6465	2.1797	2.7326	15.5073	17.5345	20.0902	21.9549
9	1.7349	2.0879	2.7004	3.3251	16.9190	19.0228	21.6660	23.5893
10	2.1558	2.5582	3.2470	3.9403	18.3070	20.4832	23.2093	25.1881
:	:	:	:	:	:	:	:	:

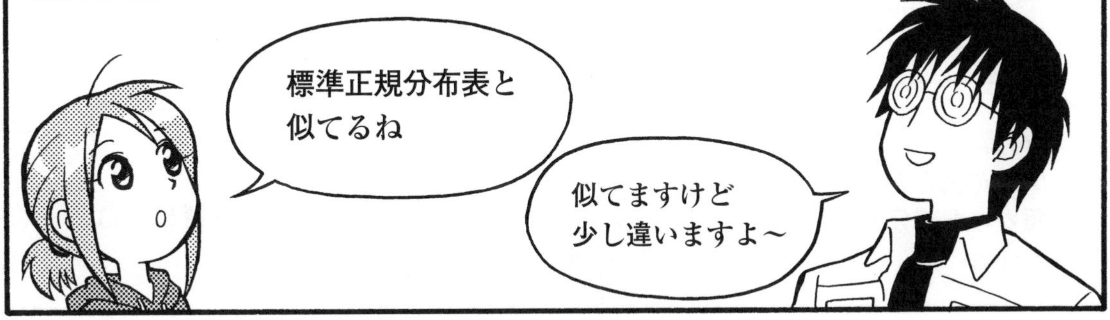
標準正規分布表と
似てるね
似てますけど
少し違いますよ～

標準正規分布表は
横軸の目盛りに
対応する確率が
記された表だった
のに対して――
求められるのは
確率
(＝面積
＝割合)
でしたね
カイ二乗分布表は
確率に対応する
横軸の目盛りが
記された表です
こっちで
求められるのは
コレです！
χ^2
頭が
こんがら
がる〜〜〜!!
まあまあ
あせらずに〜
自由度が1で
Pが0.05の場合の
χ^2 の値を考えて
みましょう
1の行と
0.05の列とが
重なった部分の値
だから…
3.8415だね

今回使った表は
ルイちゃんに
あげますから
復習に使って
ください
はーい
ありがとう…
じゃ今日は
この辺で
よいせ
おつかれさまで…
ちゃり〜ん
当たったんだ…
アレ…
フフフフフ…

✿ 5. t分布 ✿

統計学では、以下の確率密度関数がよく話題に登場します。

$$f(x)=\frac{\int_0^\infty x^{\frac{\text{自由度}+1}{2}-1}e^{-x}dx}{\sqrt{\text{自由度}\times\pi}\times\int_0^\infty x^{\frac{\text{自由度}}{2}-1}e^{-x}dx}\times\left(1+\frac{x^2}{\text{自由度}}\right)^{-\frac{\text{自由度}+1}{2}}$$

x の確率密度関数が上記のものであるならば、「**x は自由度○○の t 分布にしたがう**」と統計学では表現します。

■自由度が 5 の場合

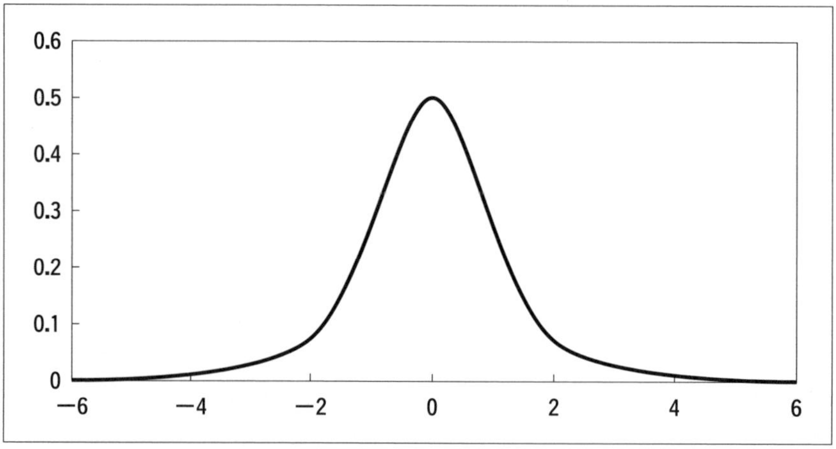

✿ 6. F分布 ✿

統計学では、以下の確率密度関数がよく話題に登場します。

$$f(x)=\begin{cases} x>0\text{の場合は} & \dfrac{\left(\int_0^\infty x^{\frac{\text{第1自由度}+\text{第2自由度}}{2}-1}e^{-x}dx\right)\times(\text{第1自由度})^{\frac{\text{第1自由度}}{2}}\times(\text{第2自由度})^{\frac{\text{第2自由度}}{2}}}{\left(\int_0^\infty x^{\frac{\text{第1自由度}}{2}-1}e^{-x}dx\right)\times\left(\int_0^\infty x^{\frac{\text{第2自由度}}{2}-1}e^{-x}dx\right)}\times\dfrac{x^{\frac{\text{第1自由度}}{2}-1}}{(\text{第1自由度}\times x+\text{第2自由度})^{\frac{\text{第1自由度}+\text{第2自由度}}{2}}} \\ \text{上記以外の場合は} & 0 \end{cases}$$

x の確率密度関数が上記のものであるならば、「**x は第 1 自由度が○○で第 2 自由度が××の F 分布にしたがう**」と統計学では表現します。

■第１自由度が１０で第２自由度が５の場合

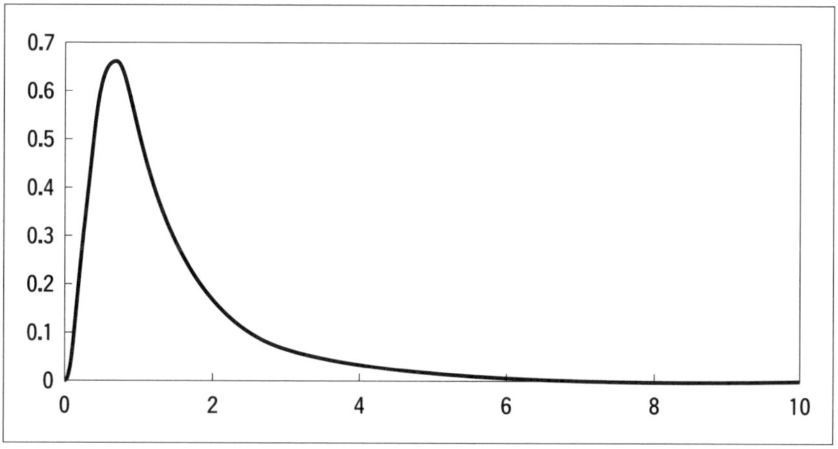

✿ 7.「××分布」と Excel ✿

標準正規分布表やカイ二乗分布表などを利用することなく確率や横軸の目盛りを計算するのは、パソコンが普及するまで（※おおまかにいって 1990 年代初め）は、少なくとも個人では大変でした。なのでそれらの分布表は非常に重宝されました。しかし現在では、分布表はあまり利用されません。なぜなら Excel の関数を利用すれば分布表に相当する値を求められますし、それどころか、分布表よりもさまざまな値を求められるからです。

「××分布」に関連する Excel の関数を下表にまとめました。

表 5.1 「××分布」に関連する Excel の関数

分布	関数	関数の特徴
正規分布[注]	NORMDIST	横軸の目盛りに対応する確率が算出される。
正規分布	NORMINV	確率に対応する横軸の目盛りが算出される。
標準正規分布	NORMSDIST	横軸の目盛りに対応する確率が算出される。
標準正規分布	NORMSINV	確率に対応する横軸の目盛りが算出される。
カイ二乗分布	CHIDIST	横軸の目盛りに対応する確率が算出される。
カイ二乗分布	CHIINV	確率に対応する横軸の目盛りが算出される。
t 分布	TDIST	横軸の目盛りに対応する確率が算出される。
t 分布	TINV	確率に対応する横軸の目盛りが算出される。
F 分布	FDIST	横軸の目盛りに対応する確率が算出される。
F 分布	FINV	確率に対応する横軸の目盛りが算出される。

注　正規分布の確率密度関数は平均と標準偏差の影響を受けます。したがって「正規分布表」は、作ろうにも作りようがないため、世の中に存在しません。しかし便利なことに、「正規分布表」に相当する値を Excel では求められます。

例題と解答

例題

(1) 93ページの標準正規分布表を利用して、下図斜線部分の確率を求めなさい。

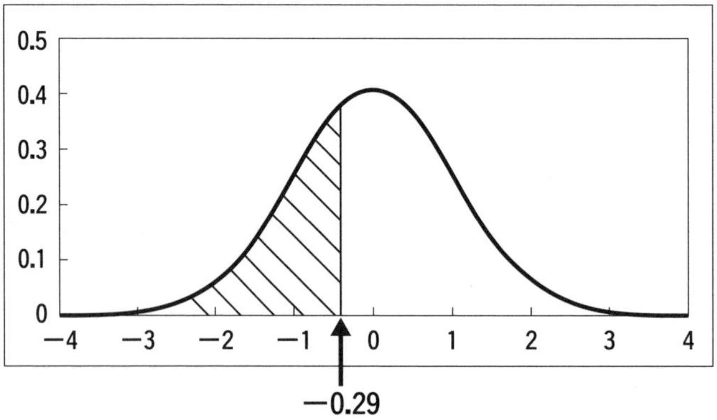

(2) 103ページのカイ二乗分布表を利用して、自由度が2でPが0.05の場合のχ^2の値を求めなさい。

解答

(1) 求めるべき確率は、下図斜線部分の確率と同一である。

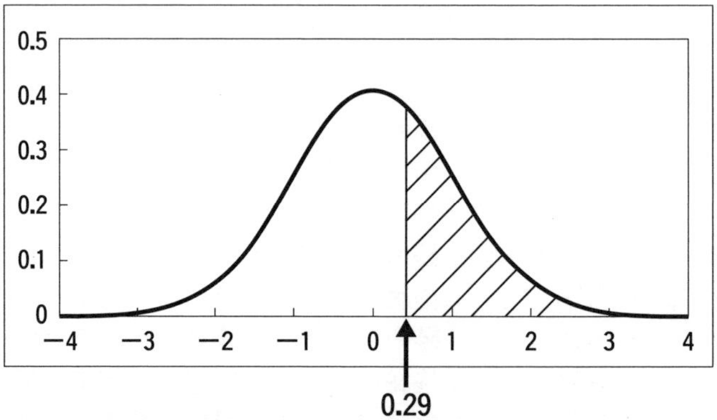

$z = 0.29 = 0.2 + 0.09$の場合の確率は、標準正規分布表より、0.1141である。したがって求めるべき確率は、$0.5 - 0.1141 = 0.3859$である。

(2) 求めるべきχ^2の値は、カイ二乗分布表より、5.9915である。

まとめ

- 代表的な確率密度関数として、

  - 正規分布
  - 標準正規分布
  - カイ二乗分布
  - t 分布
  - F 分布

  に対応するものが挙げられる。
- 確率密度関数のグラフと横軸とで囲まれた面積は、1 である。
- 確率密度関数のグラフと横軸とで囲まれた面積は、割合および確率と同一視できる。
- 「××分布表」あるいは Excel の関数を利用すれば、

  - 横軸の目盛りに対応する確率
  - 確率に対応する横軸の目盛り

  を求められる。

◆第6章◆

2変数の関連を調べよう！

ずるぺた
なるほどー
ずるぺた
あー本当ですね──
何よその格好！靴が違うじゃない!!
五十嵐さん
五十嵐さん…アレ？
あーあ…五十嵐さんと一緒なら最高なんだろうなぁ…
今日は2変数の関連についてお話ししますよ～
やばい…イメージがかすんできてる…
ガーーン
たまには外で授業もいいですねー
ずる
ぺた
ずるぺた

この人が濃すぎるのよーっ！
きいてますか？
あ…きいてるよ
例えば「身長が高ければ体重も重いか」とか「年齢が異なれば好きなビールの銘柄も異なるか」とか――
「居住地が異なれば支持政党も異なるか」などなど…
あ、ありがとう
「ケンカをするとお腹が空くか」とかね
そんな歌ありましたねー
さて
出た
ぱっ

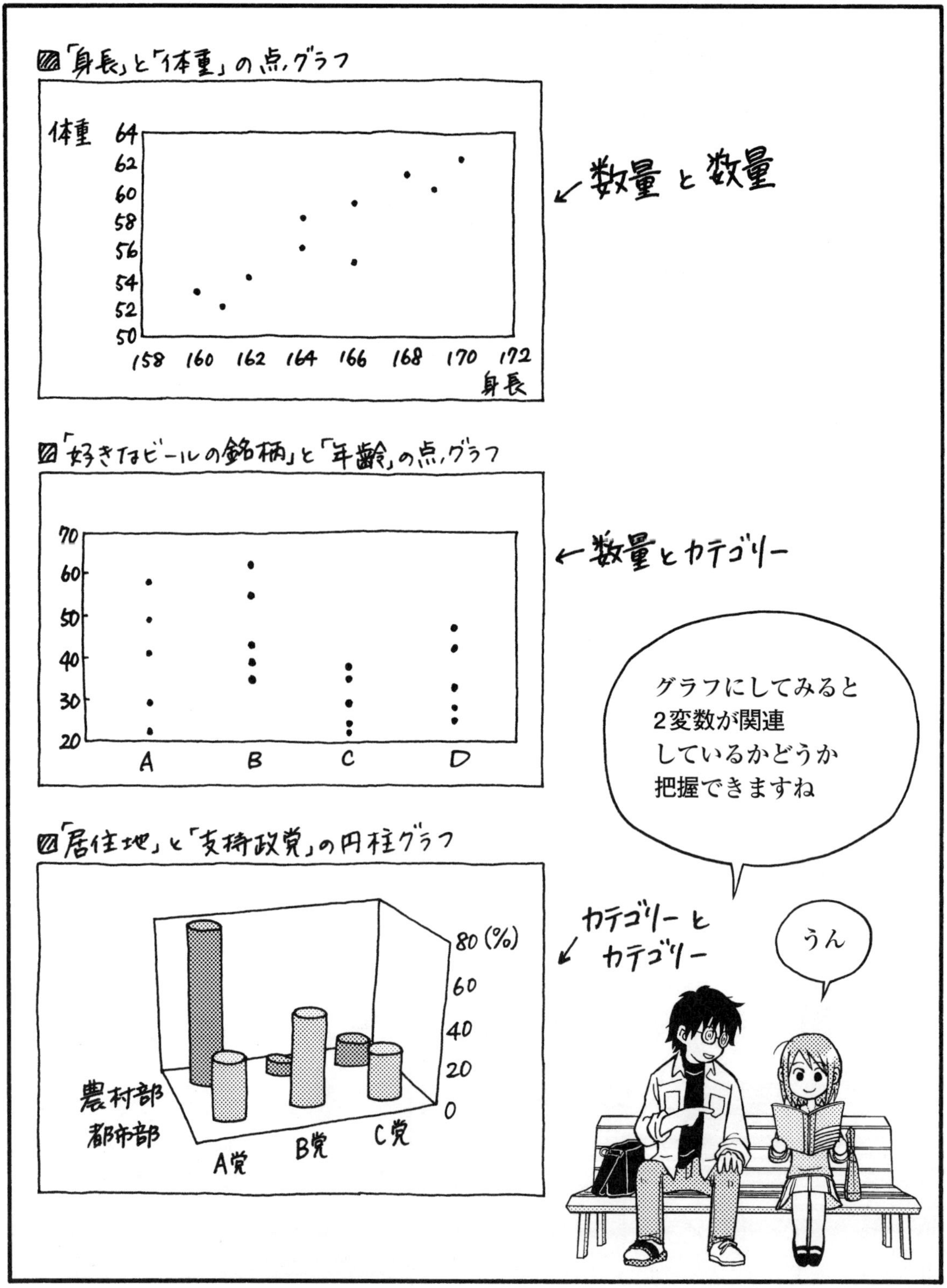
「身長」と「体重」の点グラフ
体重
64
62
60
58
56
54
52
50
158 160 162 164 166 168 170 172
身長
←数量と数量
「好きなビールの銘柄」と「年齢」の点グラフ
70
60
50
40
30
20
A B C D
←数量とカテゴリー
「居住地」と「支持政党」の円柱グラフ
80（%）
60
40
20
0
農村部
都市部
A党 B党 C党
カテゴリーとカテゴリー
グラフにしてみると2変数が関連しているかどうか把握できますね
うん

しかし！
どのくらい
関連して
いるか…
つまり
関連の“度合い”までは
残念ながら
把握できません
？
じゃあ
どうすれば
いいの？
普通は
グラフとあわせて
2変数の関連の
度合いをあらわす
指標の値を求めます
ふーん
あ、
じゃあ…
P.girls
特集！
イマドキガールズ
アンケート
こんなのも
統計的に
分析できるの
かなあ？
あぁ—
これはちょうど
よいですね

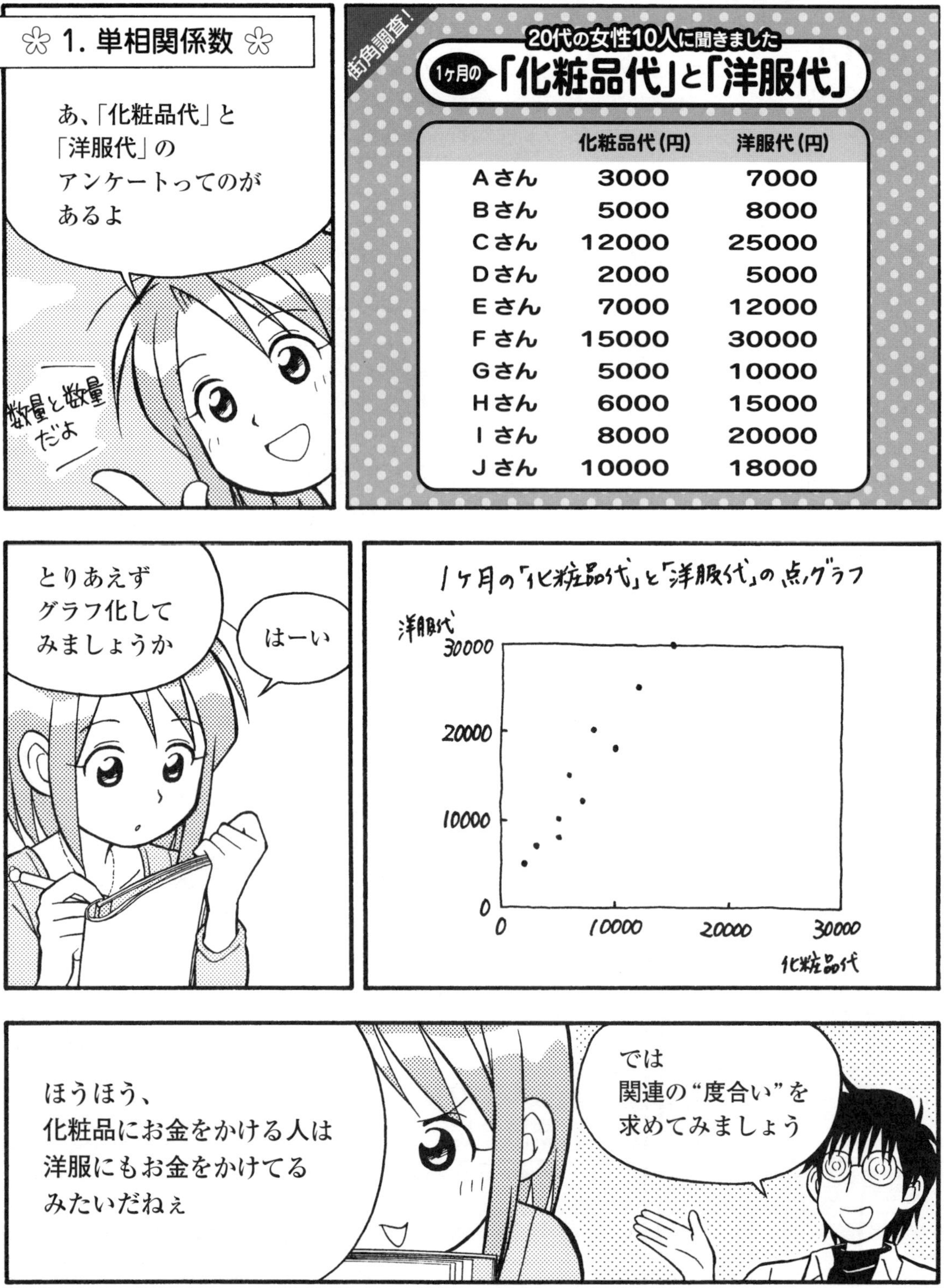
1. 単相関係数
あ、「化粧品代」と「洋服代」のアンケートってのがあるよ
数量と数量だよ
街角調査！
20代の女性10人に聞きました
1ヶ月の「化粧品代」と「洋服代」

	化粧品代（円）	洋服代（円）
Aさん	3000	7000
Bさん	5000	8000
Cさん	12000	25000
Dさん	2000	5000
Eさん	7000	12000
Fさん	15000	30000
Gさん	5000	10000
Hさん	6000	15000
Iさん	8000	20000
Jさん	10000	18000

とりあえずグラフ化してみましょうか
はーい
1ヶ月の「化粧品代」と「洋服代」の点グラフ
洋服代
30000
20000
10000
0
0
10000
20000
30000
化粧品代
ほうほう、化粧品にお金をかける人は洋服にもお金をかけてるみたいだねぇ
では関連の“度合い”を求めてみましょう

	指標	取り得る値	計算式
数量データ と 数量データ	単相関係数	−1〜1	$\dfrac{x\text{ と }y\text{ の積和}}{\sqrt{x\text{ の偏差平方和}\times y\text{ の偏差平方和}}}=\dfrac{Sxy}{\sqrt{Sxx\times Syy}}$
数量データ と カテゴリーデータ	相関比	0〜1	$\dfrac{\text{級間変動}}{\text{級内変動}+\text{級間変動}}$ →121ページ「2.相関比」参照
カテゴリーデータ と カテゴリーデータ	クラメールの 連関係数	0〜1	$\sqrt{\dfrac{\chi_0^2}{\text{全データの個数}\times(\min\{\text{クロス集計表の行数},\ \text{クロス集計表の列数}\}-1)}}$ →127ページ「3.クラメールの連関係数」参照

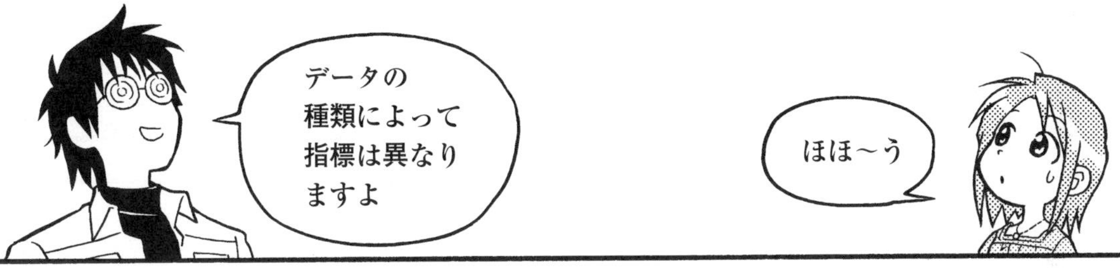

データの
種類によって
指標は異なり
ますよ
ほほ〜う

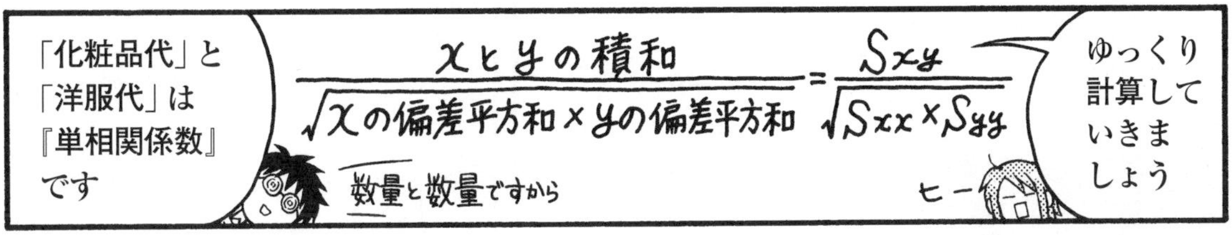

「化粧品代」と
「洋服代」は
『単相関係数』
です
xとyの積和
√xの偏差平方和×yの偏差平方和
= Sxy / √Sxx×Syy
数量と数量ですから
ヒー
ゆっくり
計算して
いきま
しょう

じゃ いきますよ〜

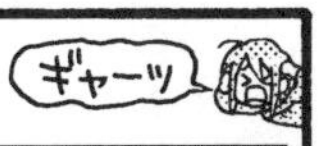

ギャーッ

1ヶ月の「化粧品代」と「洋服代」の単相関係数の計算過程

	化粧品代 x	洋服代 y	$x-\bar{x}$	$y-\bar{y}$	$(x-\bar{x})^2$	$(y-\bar{y})^2$	$(x-\bar{x})(y-\bar{y})$
Aさん	3000	7000	-4300	-8000	18490000	64000000	34400000
Bさん	5000	8000	-2300	-7000	5290000	49000000	16100000
Cさん	12000	25000	4700	10000	22090000	100000000	47000000
Dさん	2000	5000	-5300	-10000	28090000	100000000	53000000
Eさん	7000	12000	-300	-3000	90000	9000000	900000
Fさん	15000	30000	7700	15000	59290000	225000000	115500000
Gさん	5000	10000	-2300	-5000	5290000	25000000	11500000
Hさん	6000	15000	-1300	0	1690000	0	0
Iさん	8000	20000	700	5000	490000	25000000	3500000
Jさん	10000	18000	2700	3000	7290000	9000000	8100000
計	73000	150000	0	0	148100000 ↓ Sxx	606000000 ↓ Syy	290000000 ↓ Sxy
平均	7300 ↓ $\bar{x}$	15000 ↓ $\bar{y}$					

さて、代入しましょう
$\frac{S_{xy}}{\sqrt{S_{xx}\times S_{yy}}}=\frac{290000000}{\sqrt{148100000\times 606000000}}=0.9680$
パソコンならすぐ求められますよー
単相関係数の値は0.9680ね！
で、単相関係数は2変数が強く関連しているほど±1に近づき——
そうではないほど0に近づきます
-1 ← 0 → +1
ふーん
じゃあこの結果は1にかなり近いから「化粧品代」と「洋服代」はすっごく関連しているんだね
P.girls.
まあそうですね
−1に近くなるのはどんな場合？
「化粧品代」が多いほど「洋服代」が少ない場合ですよ

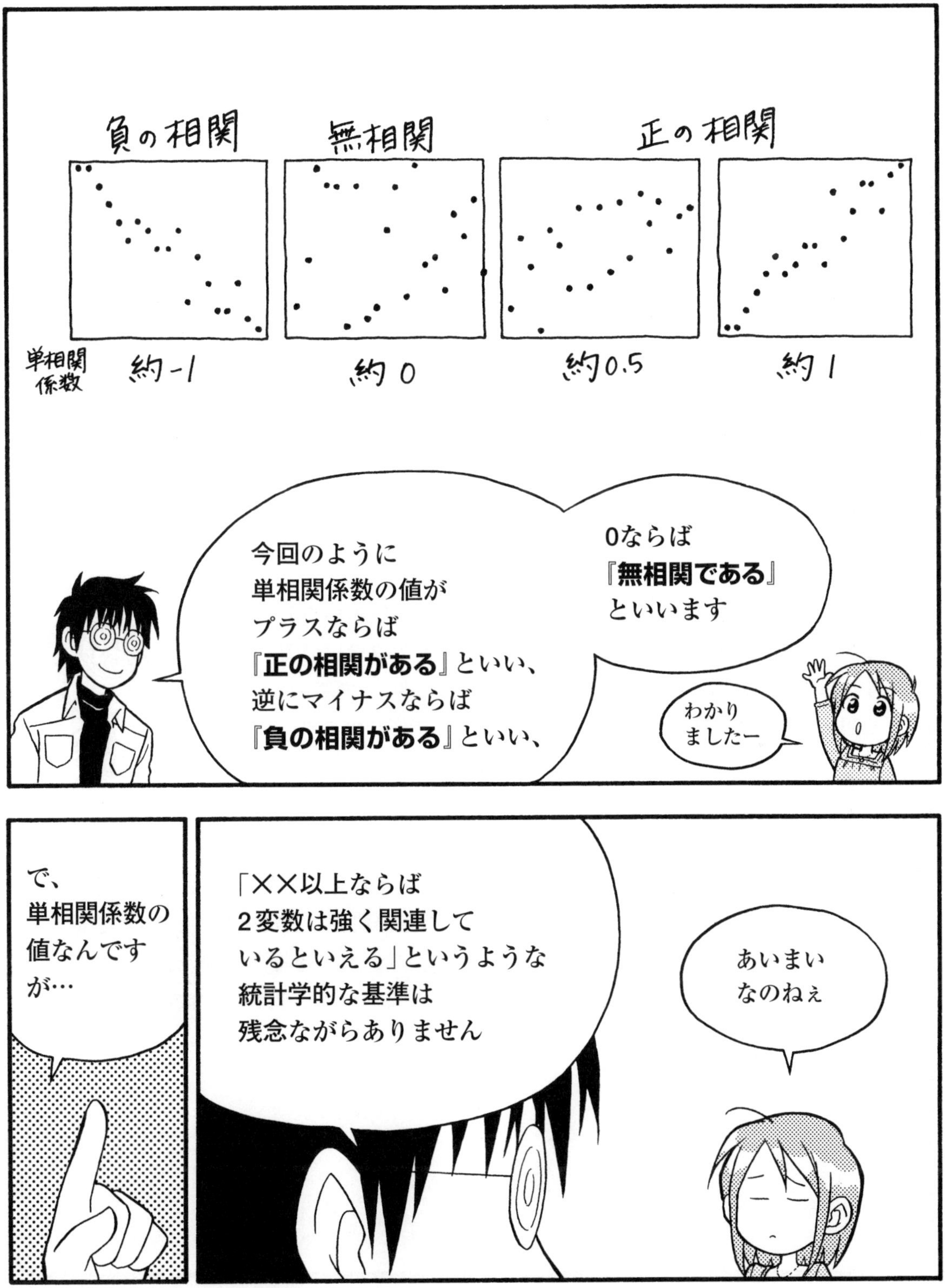
負の相関
無相関
正の相関
単相関係数
約−1
約0
約0.5
約1
今回のように
単相関係数の値が
プラスならば
『**正の相関がある**』といい、
逆にマイナスならば
『**負の相関がある**』といい、
0ならば
『**無相関である**』
といいます
わかりました−
で、
単相関係数の
値なんです
が…
「××以上ならば
2変数は強く関連して
いるといえる」というような
統計学的な基準は
残念ながらありません
あいまい
なのねぇ

単相関係数の値の目安

単相関係数の絶対値		細かくいうなら…	おおまかにいうなら…
1.0～0.9	⇒	非常に強く関連している	
0.9～0.7	⇒	やや強く関連している	関連している
0.7～0.5	⇒	やや弱く関連している	
0.5未満	⇒	非常に弱く関連している	関連していない

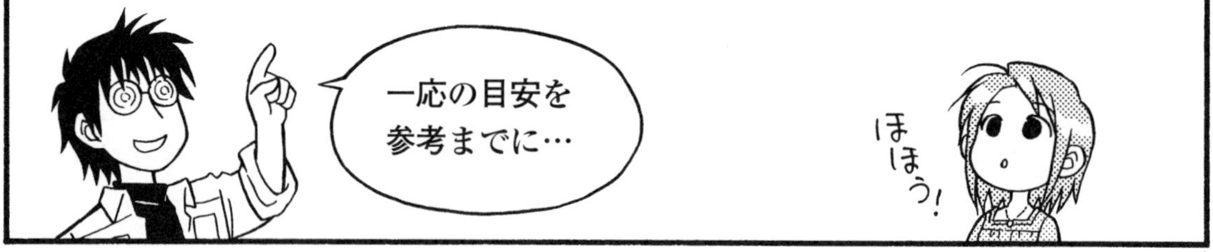
一応の目安を参考までに…
ほほう!

注意点

単相関係数は数量データと数量データの関連の度合いをあらわす指標だと先に述べました。厳密にはそうではないのです。単相関係数は、数量データと数量データの間に“直線的”な関連が見受けられるかどうかを明らかにする指標なのです。

単相関係数に不向きなデータの例

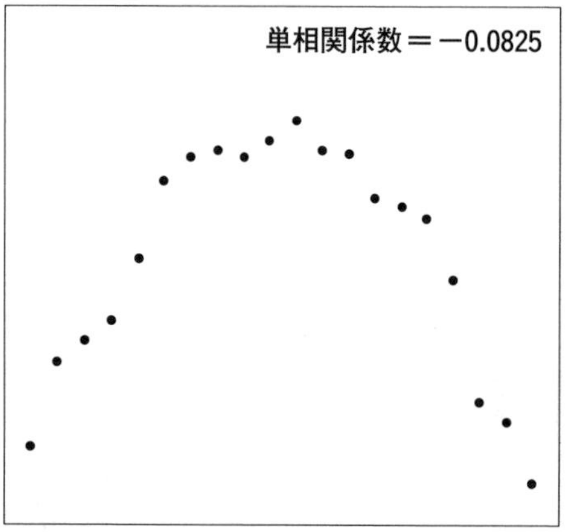
単相関係数＝－0.0825

たとえばこの図では2変数に明確な関連が見受けられます。しかし“曲線的”なため、単相関係数の値がほとんど0になってしまっています。

✿ 2. 相関比 ✿

じゃあ次
いってみよー
「年齢」と
「好きな洋服の
ブランド」を
調べてあるよ！
数量と
カテゴリー
だね
P.girls
特集
イマドキガールズ
アンケート

五本木ヒルズで聞きました

「年齢」と「好きな洋服のブランド」

	年齢	ブランド
Aさん	27	テルメス
Bさん	33	シャネリオール
Cさん	16	バーパリィ
Dさん	29	バーパリィ
Eさん	32	シャネリオール
Fさん	23	テルメス
Gさん	25	シャネリオール
Hさん	28	テルメス
Iさん	22	バーパリィ
Jさん	18	バーパリィ
Kさん	26	シャネリオール
Lさん	26	テルメス
Mさん	15	バーパリィ
Nさん	29	シャネリオール
Oさん	26	バーパリィ

数量データと
カテゴリーデータってことは
『相関比』かぁ…
これの値は0から1までだったね

これも1に近ければ
強く関連してるの？
そうですよ

ではさっきの表を整理してみましょう
ふむふむ
「好きな洋服のブランド」と「年齢」

	テルメス	シャネリオール	バーパリィ	
	23	25	15	
	26	26	16	
	27	29	18	
	28	32	22	
		33	26	
			29	
計	104	145	126	375
平均	26	29	21	25

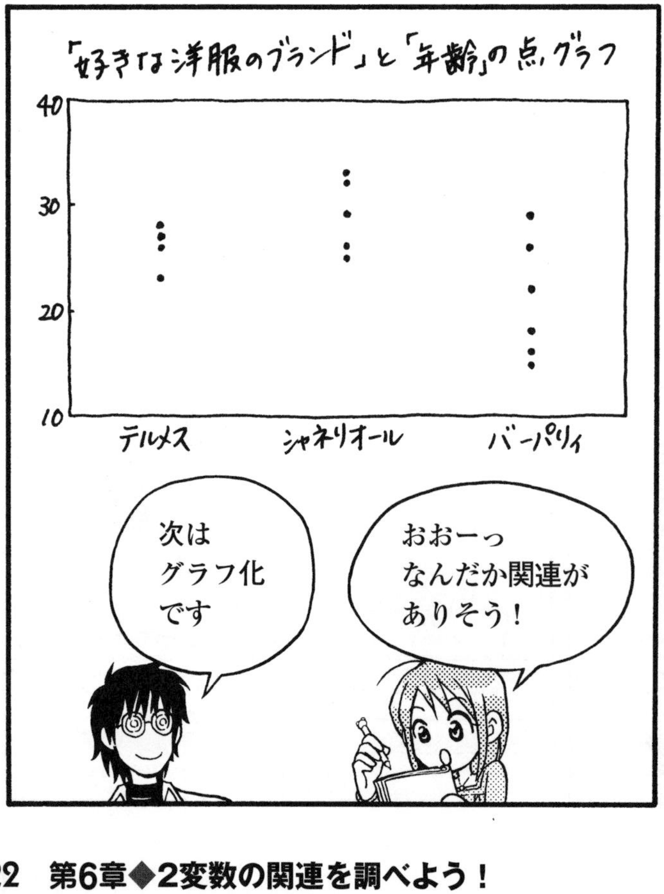
「好きな洋服のブランド」と「年齢」の点グラフ
40
30
20
10
テルメス
シャネリオール
バーパリィ
次はグラフ化です
おおーっなんだか関連がありそう！

では相関比の値を具体的に求めてみましょう～
おーっ

相関比の値は、以下に記すStep1からStep4までの計算により求められます。

Step1

下表に記した計算をおこないます。

	(テルメスーテルメスの平均)^2	(シャネリオールーシャネリオールの平均)^2	(バーパリィーバーパリィの平均)^2
	$(23-26)^2=(-3)^2=9$	$(25-29)^2=(-4)^2=16$	$(15-21)^2=(-6)^2=36$
	$(26-26)^2=0^2=0$	$(26-29)^2=(-3)^2=9$	$(16-21)^2=(-5)^2=25$
	$(27-26)^2=1^2=1$	$(29-29)^2=0^2=0$	$(18-21)^2=(-3)^2=9$
	$(28-26)^2=2^2=4$	$(32-29)^2=3^2=9$	$(22-21)^2=1^2=1$
		$(33-29)^2=4^2=16$	$(26-21)^2=5^2=25$
			$(29-21)^2=8^2=64$
計	14	50	160
	↓ S_{TT}	↓ S_{CC}	↓ S_{BB}

Step2

級内変動すなわち$S_{TT}+S_{CC}+S_{BB}$を求めます。

$$S_{TT}+S_{CC}+S_{BB}=14+50+160=224$$

Step3

級間変動すなわち

　(テルメスのデータの個数)×(テルメスの平均－全体の平均)^2
＋(シャネリオールのデータの個数)×(シャネリオールの平均－全体の平均)^2
＋(バーパリィのデータの個数)×(バーパリィの平均－全体の平均)^2

を求めます。

$$
\begin{aligned}
&4\times(26-25)^2+5\times(29-25)^2+6\times(21-25)^2\\
&=4\times1+5\times16+6\times16\\
&=4+80+96\\
&=180
\end{aligned}
$$

Step4

相関比の値すなわち $\dfrac{\text{級間変動}}{\text{級内変動}+\text{級間変動}}$ を求めます。

$$\frac{180}{224+180}=\frac{180}{404}=0.4455$$

「年齢」と「好きな洋服のブランド」の
相関比の値は…

0.4455！
おつかれさまです
キシャーーッ
ちょっと めんどうだけど…
フー
ゆっくり計算すれば なんとかなるもんだし…
ニコッ
答えが出ると うれしいね！
ホロリ…
ル、ルイちゃん…
成長しましたねっ
じゃ ごほうびは バーバリィの バッグで ♡
フフフ…
ガーーン
冗談だよっ!!
給料日前
ハァァァァ〜

先に述べたように、相関比の取り得る値は、0から1までです。2変数が強く関連しているほど1に近づき、そうでないほど0に近づきます。詳しくは下図を参照してください。

「好きな洋服のブランド」と「年齢」の点グラフ（相関比の値が1の場合）

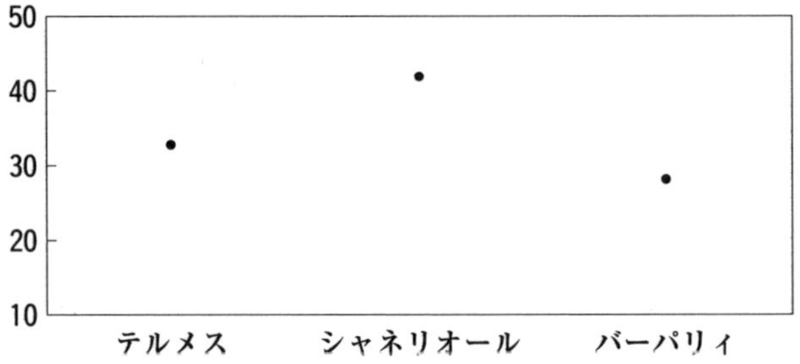

相関比の値が1⟺各グループに含まれるデータが同一⟺級内変動が0

「好きな洋服のブランド」と「年齢」の点グラフ（相関比の値が0の場合）

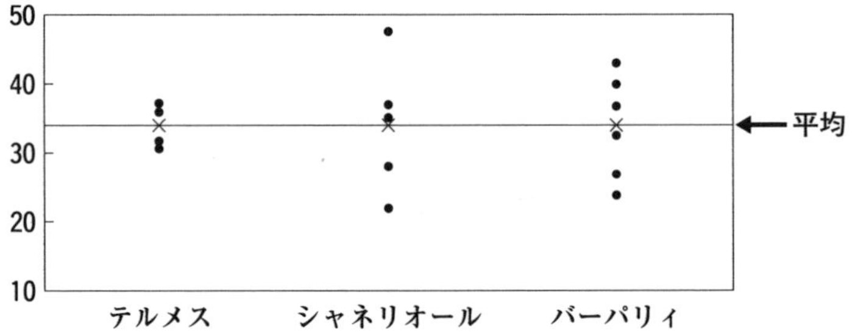

相関比の値が0⟺各グループの平均が同一⟺級間変動が0

「相関比の値が××以上ならば、2変数は強く関連しているといえる」との統計学的な基準は残念ながらありません。
一応の目安を参考までに記します。

相関比の値の目安

相関比の値		細かくいうなら…	おおまかにいうなら…
1.0～0.8	⇨	非常に強く関連している	関連している
0.8～0.5	⇨	やや強く関連している	
0.5～0.25	⇨	やや弱く関連している	
0.25未満	⇨	非常に弱く関連している	関連していない

じゃあ今回の結果は0.4455だったから「やや弱く関連している」ってことね！

✿ 3. クラメールの連関係数 ✿

あとは…
カテゴリーデータどうしの
関連について
説明できるような例が
あるといいんですが…
ん〜〜
ペラ
ペラ
ペラ

あ！　これなんてどう？
告白されるとしたら
どの方法でされたい？
「高校生300人にききました！
告白されるとしたら
どの方法でされたい？」
だって！

どれどれ…
告白方法は
「電話で」「メールで」
「直接会って」
ですかぁ…
使えそうですね
ね!

しかし女性誌ってのは
妙なアンケートを
やってるんですね…
ほっといてよね!

「性別」と「されたい告白方法」のクロス集計表

		されたい告白方法			計
		電話で	メールで	直接会って	
性別	女性	34	61	53	148
	男性	38	40	74	152
計		72	101	127	300

直接会って告白されたいと思う男性回答者が
152人中74人いたってことです。

「性別」と「されたい告白方法」のクロス集計表(横%表)

		されたい告白方法			計
		電話で	メールで	直接会って	
性別	女性	23	41	36	100
	男性	25	26	49	100
全体		24	34	42	100

直接会って告白されたいと思う男性回答者が

152人中の $\frac{74}{152}\times 100=49$ (%) を占めたってことです。

このような
2変数を
かけあわせた
表のことを
クロス集計表と
いいます。

ふーん…
女の子は
「メールで告白されたい」って
思う子が多いのに比べて
男の子は「直接会って
告白されたい」って
思ってる子が多いんだね…

たしかに女の子と男の子とでは告白のされかたの希望に違いがあるようですね
いいかえると「性別」と「されたい告白方法」には関連があるってことですが…
五十嵐さんにも会って告白した方がいいのね…
ブツブツ
ルイちゃんきいてますか？
あ きいてます！！
カテゴリーデータとカテゴリーデータの関連の度合いをあらわす指標は？
ハイッ『クラメールの連関係数』です！
『クラメールの連関係数』は、**『クラメールの関連係数』**とか『**クラメールのV**』とか『**独立係数**』とも呼ばれます
頭がクラクラしてきちゃいそう〜〜〜
後悔
いや…うけましたよ──
何も言わないで…

クラメールの連関係数の値は、以下に記すStep1からStep5までの計算により求められます。

Step1

クロス集計表を用意します。なお太枠内の各マス目の値は実測度数と呼ばれます。

		されたい告白方法			計
		電話で	メールで	直接会って	
性別	女性	34	61	53	148
	男性	38	40	74	152
計		72	101	127	300

Step2

下表に記した計算をおこないます。なお太枠内の各マス目の値は期待度数と呼ばれます。

		されたい告白方法			計
		電話で	メールで	直接会って	
性別	女性	$\frac{148 \times 72}{300}$	$\frac{148 \times 101}{300}$	$\frac{148 \times 127}{300}$	148
	男性	$\frac{152 \times 72}{300}$	$\frac{152 \times 101}{300}$	$\frac{152 \times 127}{300}$	152
計		72	101	127	300

$$\frac{「男性」の計 \times 「直接会って」の計}{全データの個数}$$ ※1

もし「性別」と「されたい告白方法」が全く関連していなければ、電話で：メールで：直接会って は、女性であれ男性であれ、Step2における表の「計」行より、

$$72:101:127=\frac{72}{72+101+127}:\frac{101}{72+101+127}:\frac{127}{72+101+127}$$

$$=\frac{72}{300}:\frac{101}{300}:\frac{127}{300}$$

であるはずです。つまり※1は、「性別」と「されたい告白方法」が全く関連していない場合の「直接会って告白されたい男性の人数」である

$152\times\frac{127}{300}=\frac{152\times127}{300}$ を意味しているのです。

Step3

マス目ごとに $\frac{(\text{実測度数}-\text{期待度数})^2}{\text{期待度数}}$ を計算します。

		されたい告白方法			計
		電話で	メールで	直接会って	
性別	女性	$\frac{\left(34-\frac{148\times72}{300}\right)^2}{\frac{148\times72}{300}}$	$\frac{\left(61-\frac{148\times101}{300}\right)^2}{\frac{148\times101}{300}}$	$\frac{\left(53-\frac{148\times127}{300}\right)^2}{\frac{148\times127}{300}}$	148
	男性	$\frac{\left(38-\frac{152\times72}{300}\right)^2}{\frac{152\times72}{300}}$	$\frac{\left(40-\frac{152\times101}{300}\right)^2}{\frac{152\times101}{300}}$	$\frac{\left(74-\frac{152\times127}{300}\right)^2}{\frac{152\times127}{300}}$	152
計		72	101	127	300

実測度数が期待度数からずれているほど、つまり「性別」と「されたい告白方法」が関連しているほど、太枠内の各マス目の値は大きくなります。

Step4

Step3における表の太枠内の値を足したもの、すなわちピアソンのカイ二乗統計量の値を求めます。なおピアソンのカイ二乗統計量を以降では「χ_0^2」と表記します。

$$\chi_0^2=\frac{\left(34-\frac{148\times72}{300}\right)^2}{\frac{148\times72}{300}}+\frac{\left(61-\frac{148\times101}{300}\right)^2}{\frac{148\times101}{300}}+\frac{\left(53-\frac{148\times127}{300}\right)^2}{\frac{148\times127}{300}}$$

$$+\frac{\left(38-\frac{152\times72}{300}\right)^2}{\frac{152\times72}{300}}+\frac{\left(40-\frac{152\times101}{300}\right)^2}{\frac{152\times101}{300}}+\frac{\left(74-\frac{152\times127}{300}\right)^2}{\frac{152\times127}{300}}$$

$$=8.0091$$

Step3から明らかなように、実測度数が期待度数からずれているほど、つまり「性別」と「されたい告白方法」が関連しているほど、ピアソンのカイ二乗統計量χ_0^2は大きくなります。

Step5

クラメールの連関係数の値、つまり

$$\sqrt{\frac{\chi_0^2}{\text{全データの個数}\times(\min\{\text{クロス集計表の行数},\ \text{クロス集計表の列数}\}-1)}}$$

を求めます。なお$\min\{a, b\}$は、aとbのうちの小さいほうの値を意味する記号です。

$$\sqrt{\frac{8.0091}{300\times(\min\{2, 3\}-1)}}=\sqrt{\frac{8.0091}{300\times(2-1)}}=\sqrt{\frac{8.0091}{300}}=0.1634$$

というわけで
クラメールの連関係数の
値は0.1634ですね
ぐ…

なんか1人じゃ
計算できない
かもぉ…
大丈夫！
たしかに計算は
大変だけど
手順どおりに
やっていけば
必ずできますよ
もしわからない
ことがあったら
僕にきいてくれれば
よいですし
！
ムクッ
あっ
ぷい
どうし
ました？
なんでも
ないよ
ごしごし
一瞬
山本さんが
かっこよく
見えちゃった

先に述べたように、クラメールの連関係数の取り得る値は、0から1までです。2変数が強く関連しているほど1に近づき、そうではないほど0に近づきます。詳しくは下記クロス集計表（横%表）を参照してください。

「性別」と「されたい告白方法」のクロス集計表（横%表）
（クラメールの連関係数の値が1の場合）

		されたい告白方法			計
		電話で	メールで	直接会って	
性	女性	17	83	0	100
別	男性	0	0	100	100

クラメールの連関係数の値が1⟺女性と男性の好みが完全に異なる

「性別」と「されたい告白方法」のクロス集計表（横%表）
（クラメールの連関係数の値が0の場合）

		されたい告白方法			計
		電話で	メールで	直接会って	
性	女性	17	48	35	100
別	男性	17	48	35	100

クラメールの連関係数の値が0⟺女性と男性の好みが同一

「クラメールの連関係数の値が××以上ならば、2変数は強く関連しているといえる」との統計学的な基準は残念ながらありません。
一応の目安を参考までに記します。

クラメールの連関係数の値の目安

クラメールの連関係数の値		細かくいうなら…	おおまかにいうなら…
1.0～0.8	⇨	非常に強く関連している	関連している
0.8～0.5	⇨	やや強く関連している	
0.5～0.25	⇨	やや弱く関連している	
0.25未満	⇨	非常に弱く関連している	関連していない

というわけで
この例は
「非常に弱く関連している」と
結論づけられます
パタ
なるほどー
じゃ　今日の授業は
ここらへんで
はーい

今日の最後に
クラメールの連関係数を
お話ししましたが
それを踏まえて
次回は『独立性の検定』に
ついて勉強します
独立性の
ケンテイ?
『独立性の検定』は
アンケートの分析なんかに
よく用いられる手法です
これを習得すれば
統計学の基本は
十分おさえたと
いえるでしょう
じゃあ次で
授業はおしまい?
とりあえずは…
ですね
そっか!

例題と解答

例題

ファミリーレストランを経営する会社 X は、順調な経営とはいいがたい状況に最近なりつつありました。そこでお客様の声に耳をより傾けるべく、無作為に抽出した「日本に住む 20 歳以上の人々」に対してアンケートをおこないました。その結果が下表です。

	‥	ファミリーレストランでよく食べる料理の種類は？	‥	食後に飲み物が無料でつくならば、コーヒーと紅茶のどちらがよいか？	‥
回答者1	‥	中華	‥	コーヒー	‥
回答者2	‥	洋食	‥	コーヒー	‥
⋮	‥	⋮	‥	⋮	‥
回答者250	‥	和食	‥	紅茶	‥

上表から導き出されたクロス集計表のひとつが以下のものです。

		コーヒーと紅茶のどちら		計
		コーヒー	紅茶	
よく食べる料理の種類	和食	43	33	76
	洋食	51	53	104
	中華	29	41	70
計		123	127	250

「ファミリーレストランでよく食べる料理の種類は？」と「食後に飲み物が無料でつくならば、コーヒーと紅茶のどちらがよいか？」のクラメールの連関係数の値を求めなさい。

解答

Step1

クロス集計表を用意する。

		コーヒーと紅茶のどちら		計
		コーヒー	紅茶	
よく食べる料理の種類	和食	43	33	76
	洋食	51	53	104
	中華	29	41	70
計		123	127	250

Step2

期待度数を求める。

		コーヒーと紅茶のどちら		計
		コーヒー	紅茶	
よく食べる料理の種類	和食	$\frac{76\times123}{250}$	$\frac{76\times127}{250}$	76
	洋食	$\frac{104\times123}{250}$	$\frac{104\times127}{250}$	104
	中華	$\frac{70\times123}{250}$	$\frac{70\times127}{250}$	70
計		123	127	250

Step3

マス目ごとに $\frac{(\text{実測度数}-\text{期待度数})^2}{\text{期待度数}}$ を計算する。

		コーヒーと紅茶のどちら		計
		コーヒー	紅茶	
よく食べる料理の種類	和食	$\frac{\left(43-\frac{76\times123}{250}\right)^2}{\frac{76\times123}{250}}$	$\frac{\left(33-\frac{76\times127}{250}\right)^2}{\frac{76\times127}{250}}$	76
	洋食	$\frac{\left(51-\frac{104\times123}{250}\right)^2}{\frac{104\times123}{250}}$	$\frac{\left(53-\frac{104\times127}{250}\right)^2}{\frac{104\times127}{250}}$	104
	中華	$\frac{\left(29-\frac{70\times123}{250}\right)^2}{\frac{70\times123}{250}}$	$\frac{\left(41-\frac{70\times127}{250}\right)^2}{\frac{70\times127}{250}}$	70
計		123	127	250

Step4

Step3における表の太枠内の値を足したもの、すなわちピアソンのカイ二乗統計量χ_0^2の値を求める。

$$\chi_0^2 = \frac{\left(43 - \frac{76 \times 123}{250}\right)^2}{\frac{76 \times 123}{250}} + \frac{\left(33 - \frac{76 \times 127}{250}\right)^2}{\frac{76 \times 127}{250}}$$

$$+ \frac{\left(51 - \frac{104 \times 123}{250}\right)^2}{\frac{104 \times 123}{250}} + \frac{\left(53 - \frac{104 \times 127}{250}\right)^2}{\frac{104 \times 127}{250}}$$

$$+ \frac{\left(29 - \frac{70 \times 123}{250}\right)^2}{\frac{70 \times 123}{250}} + \frac{\left(41 - \frac{70 \times 127}{250}\right)^2}{\frac{70 \times 127}{250}}$$

$$= 3.3483$$

Step5

クラメールの連関係数の値、すなわち

$$\sqrt{\frac{\chi_0^2}{\text{全データの個数} \times (\min\{\text{クロス集計表の行数}, \text{クロス集計表の列数}\} - 1)}}$$

を求める。

$$\sqrt{\frac{3.3483}{250 \times (\min\{3, 2\} - 1)}} = \sqrt{\frac{3.3483}{250 \times (2 - 1)}} = \sqrt{\frac{3.3483}{250}} = 0.1157$$

まとめ

- 数量データと数量データの関連の度合いをあらわす指標として、単相関係数がある。
- 数量データとカテゴリーデータの関連の度合いをあらわす指標として、相関比がある。
- カテゴリーデータとカテゴリーデータの関連の度合いをあらわす指標として、クラメールの連関係数（※クラメールの関連係数あるいはクラメールのVあるいは独立係数とも呼ばれる）がある。
- 単相関係数と相関比とクラメールの連関係数には、下表のような特徴がある。

	最小値	最大値	2変数が全く関連していない場合の値	2変数が最も強く関連している場合の値
単相関係数	−1	1	0	−1 or 1
相関比	0	1	0	1
クラメールの連関係数	0	1	0	1

- 単相関係数と相関比とクラメールの連関係数には、「値が××以上ならば、2変数は強く関連しているといえる」といった統計学的な基準がない。

◆第7章◆

独立性の検定をマスターしよう！

1.「検定」とは

じゃーん！
えー 今日の 授業はー
クイ
コラ——！ ちょっとは注目しろぉ!!
プンプン
アハハ すみません 例の新しい 制服ですか？
うん！ まだ試作品 なんだけど 特別に見せて あげるよぉ♪
くるっ
それはどうも… 似合っていますよ
ありがと
んで 今日の 授業は？

えー…
前回のお話のなかで
クラメールの連関係数
について学びましたね
高校生300人にききました
告白されるとしたら
どの方法でされたい!?
あー
告白のやつね
あの例の
クラメールの連関係数の値は
0.1634でした
「非常に弱く関連している」と
結論づけられましたね
だったね
さて
ルイちゃん
よく考えて
ください
あのアンケートは
「日本に住む高校生全員」から
たまたま抽出された――
300人のデータから
導かれたものに
すぎませんね
もし他の300人が
抽出されていたら
クラメールの連関係数の値は
0.1634には
まず間違いなく
ならなかったはずです
そういわれりゃ
そうだねぇ…

そもそも母集団である
「日本に住む高校生全員」
における
クラメールの連関係数の
値はいくつだと
思います？
う——ん…
そんなの
わかんないよ
そう
「日本に住む高校生全員」
のデータを
集めなければ——
残念ながら
それは誰にも
わかりません
だねぇ…
あの例にかぎらず
母集団の
クラメールの連関係数の
値を知ることは
一般的にほとんど
不可能です
なので
私たちは

母集団のクラメールの連関係数について…
「無作為に抽出された300人のデータから導かれたクラメールの連関係数の値が0.1634なのだから、
母集団のクラメールの連関係数の値もまあだいたいそんなもんだろう」
0.1634
──という寛容かつ主観的な判断を下さざるをえないのです
けっこうあいまいなのねぇ…
でも統計学でなんとかするんでしょ？
ビッ
いいえ統計学を駆使しても母集団のクラメールの連関係数の厳密な値は残念ながらわかりません
えっそうなの？

ぱあああ。。。
ただし「母集団のクラメールの連関係数の値が——
さすがにゼロということはないかどうか」はわかります！
それってすごいことなの？
さすがにゼロって・・・
そりゃそうです！母集団に関する客観的な情報を得られるのですから！
で、どうやるの？
以前お話しした『独立性の検定』という分析手法をつかいます
英検みたいなもの？
アハハ…いえいえ全然違うものですよ
独立性の検定は統計学において「検定」と総称される分析手法のひとつなんです
独立性の検定
検定
先に「検定」について説明しますね
無相関の検定
相関比の検定
母平均の差の検定
母比率の差の
はーい

『検定』とは！
母集団について
分析者が立てた仮説が
正しいかどうかを――
標本のデータから
推測する
分析手法のことです!!
ゴォオオオ
「検定」は
正確には
「統計的仮説検定」と
呼ばれます
あ、
ルイには
そっちの方が
意味が
わかるよ～

「検定」にはいろんな種類がありますよ～

「検定」の例	
名称	用いられる場面の例
独立性の検定	母集団における「性別」と「されたい告白方法」のクラメールの連関係数の値が0ではないかどうかの推測
相関比の検定	母集団における「好きな洋服のブランド」と「年齢」の相関比の値が0ではないかどうかの推測
無相関の検定	母集団における「1ヶ月に使う化粧品代」と「1ヶ月に使う洋服代」の単相関係数の値が0ではないかどうかの推測
母平均の差の検定	東京都の女子高生と大阪府の女子高生の「毎月のおこづかい」が異なるかどうかの推測 ※2つの母集団を想定していることに注意
母比率の差の検定	都市部に住む有権者と農村部に住む有権者の「××内閣の支持率」が異なるかどうかの推測 ※2つの母集団を想定していることに注意

「検定」の手順	
【Step1】	母集団を定義する。
【Step2】	帰無仮説と対立仮説を立てる。
【Step3】	どの「検定」をおこなうか選択する。
【Step4】	有意水準を決定する。
【Step5】	標本のデータから検定統計量の値を求める。
【Step6】	【Step5】で求めた検定統計量の値が棄却域に入っているかどうかを調べる。
【Step7】	【Step6】において検定統計量の値が棄却域に入っていたならば、「対立仮説は正しい」との結論を下す。そうでなければ、「帰無仮説は誤っているとはいえない」との結論を下す。

2. 独立性の検定

では本題の
独立性の検定の
説明をしましょう
『独立性の検定』とは
「母集団のクラメールの連関係数の値が
さすがにゼロということはないかどうか」を
推測するための分析手法のことでしたね
はい
いいかえると
「クロス集計表における
2変数が関連している
かどうか」を推測するための
分析手法ってことです
なーる、
それでアンケートの
分析なんだぁ…
されたい告白方法
電話で
メールで
直接会って
計
性別
女性
34
61
53
148
男性
38
40
74
152
計
72
101
127
独立性の検定は
「カイジジョウケンテイ」とも
呼ばれているんですよ――
出た!
ヤッカイ

解説　ピアソンのカイ二乗統計量χ_0^2とカイ二乗分布

独立性の検定の具体例を解説する前に、独立性の検定の基礎となる重要な事実を解説します。
現実には不可能ですが、以下の実験をおこなったとします。

Step1

母集団である「日本に住む高校生全員」から300人を無作為に抽出する。

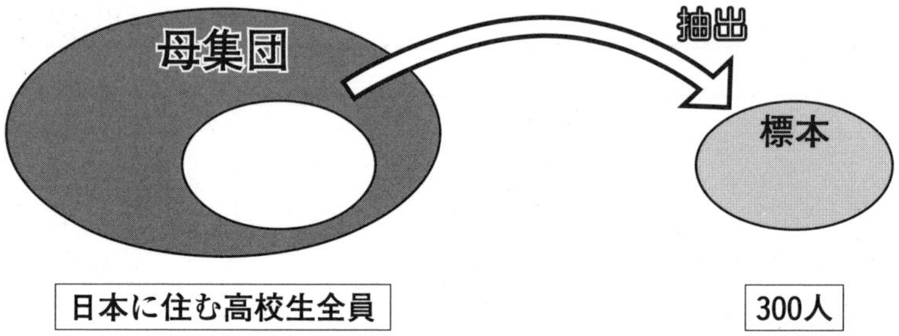

Step2

Step1で抽出された300人に対して127ページのアンケートをおこない、ピアソンのカイ二乗統計量χ_0^2を求める。

Step3

抽出された300人を母集団に戻す。

Step4

Step1～Step3を延々と繰り返す。

すると実験におけるピアソンのカイ二乗統計量χ_0^2のグラフは、母集団である「日本に住む高校生全員」におけるクラメールの連関係数の値が0ならば、自由度2のカイ二乗分布です。いいかえると、「ピアソンのカイ二乗統計量χ_0^2」は、母集団である「日本に住む高校生全員」におけるクラメールの連関係数の値が0ならば、自由度2のカイ二乗分布にしたがいます。

※ピアソンのカイ二乗統計量χ_0^2の求め方については130～133ページを参照のこと
※自由度2のカイ二乗分布については100ページを参照こと

実験を実際におこなってみました。ただし実験をおこなうにあたり、以下の制約を課しました。

- 本物の「日本に住む高校生全員」を相手に実験することは不可能なので、表7.1に記された1万人からなる集団を「日本に住む高校生全員」と解釈する。
- 「日本に住む高校生全員」におけるクラメールの連関係数の値は0だとする。つまり女性と男性の「電話で告白されたい：メールで告白されたい：直接会って告白されたい」は等しいとする（※135ページを参照のこと）。具体的には、表7.1のクロス集計表が表7.2だとする。
- きりがないので、Step1～Step3の繰り返しは20000回でやめる。

表7.1　されたい告白方法（日本に住む高校生全員）

	性別	されたい告白方法
1	女	直接会って
2	女	電話で
：	：	：
10000	男	メールで

表7.2 「性別」と「されたい告白方法」のクロス集計表

		されたい告白方法			計
		電話で	メールで	直接会って	
性別	女性	400	1600	2000	4000
	男性	600	2400	3000	6000
計		1000	4000	5000	10000

実験結果を記したのが表7.3です。表7.3に基づくヒストグラムが図7.1です。

表7.3　実験結果

	ピアソンのカイ二乗統計量 χ_0^2
1回目	0.8598
2回目	0.7557
：	：
20000回目	2.7953

図7.1　表7.3に基づくヒストグラム（階級の幅が1）

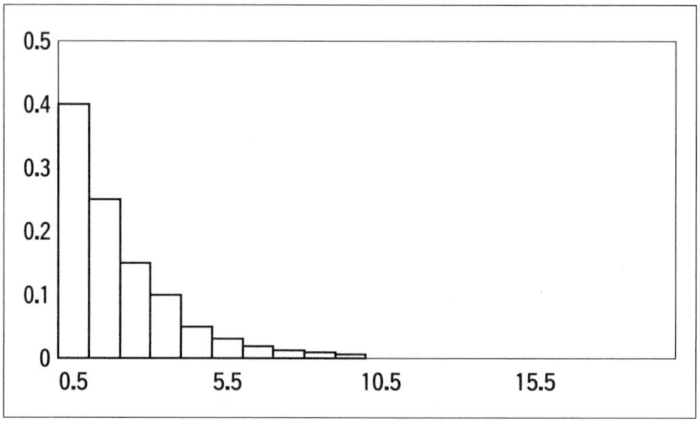

たしかに図7.1は、100ページの「■自由度が2の場合」のグラフと非常に似ています。「ピアソンのカイ二乗統計量 χ_0^2」が自由度2のカイ二乗分布にしたがうのは間違いないようです。

実験そのものからは話がそれてしまいますけれども、注意を1つ述べます。自由度の「2」は、

$$(2-1)\times(3-1)=1\times2=2$$

↑「女性」「男性」の2とおり　↑「電話で」「メールで」「直接会って」の3とおり

に由来します。なぜこのような摩訶不思議な計算をするのかは、本書のレベルを超えるので割愛します。この計算のからくりを知らなくても実務では何の不都合もありませんので、安心してください。

「日本に住む高校生全員」の
クラメールの連関係数の値がゼロ…
つまり、「性別」と
「されたい告白方法」には
関連がなかったとする
女性と男性で好みの割合は同じなんだ――!
とする!
んで、
「日本に住む高校生全員」から
300人選んでアンケートをとって…
それを何回も何回も
何回~~~~~~~~~~~~~~~~~~も
やって!
アンケート
アンケート
ピアソンのカイ二乗統計量
χ_0^2 を求めていくと…
マス目ごとの $\left(\frac{実測度数-期待度数}{期待度数}\right)^2$ を足す!
そのグラフが
自由度2のカイ二乗分布って
ことか!
やっと
出ました~~~

ルイちゃんも
成長しました
ねえ～～～
えっへん!
それでは
告白のアンケートの
例で
独立性の検定に
取り組んで
みましょう
おーーっ
これから先、
『例題』→『考え方』→『解答』
という流れで
話をすすめていきたいのですが…
ごそごそ
『解答』は
分析者
解説者
僕が一人二役で説明します!
「分析者」と
「解説者」に
分けて説明した
ほうが『解答』が
わかりやすく
なるんですよ
ルイはもっと
かわいい
よーっ!

例題

「高校生300人にききました！　告白されるとしたら、どの方法でされたい？」という記事を、出版社の凛々社は女性誌『P-girls』に載せることにしました。そこで凛々社は、「日本に住む高校生全員」から無作為に300人を抽出し、アンケートをおこないました。その結果が下表です。

	されたい告白方法	年齢	性別
回答者1	直接会って	17	女
回答者2	電話で	15	女
:	:	:	:
回答者300	メールで	18	男

そして「性別」と「されたい告白方法」のクロス集計表が下表です。

		されたい告白方法			計
		電話で	メールで	直接会って	
性別	女性	34	61	53	148
	男性	38	40	74	152
計		72	101	127	300

母集団である「日本に住む高校生全員」における「性別」と「されたい告白方法」のクラメールの連関係数の値は0よりも大きいかどうかを、つまり「性別」と「されたい告白方法」は関連しているかどうかを、独立性の検定により推測しなさい。なお有意水準（※後述します）は0.05とします。

考え方

152～154ページで解説したように、母集団である「日本に住む高校生全員」におけるクラメールの連関係数の値が0ならば、「ピアソンのカイ二乗統計量χ_0^2」は自由度2のカイ二乗分布にしたがいます。したがって母集団である「日本に住む高校生全員」におけるクラメールの連関係数の値が0ならば、たまたま抽出された300人のデータから求められたχ_0^2がたとえば5.9915以上である確率は、

図7.2　χ_0^2が5.9915以上である確率

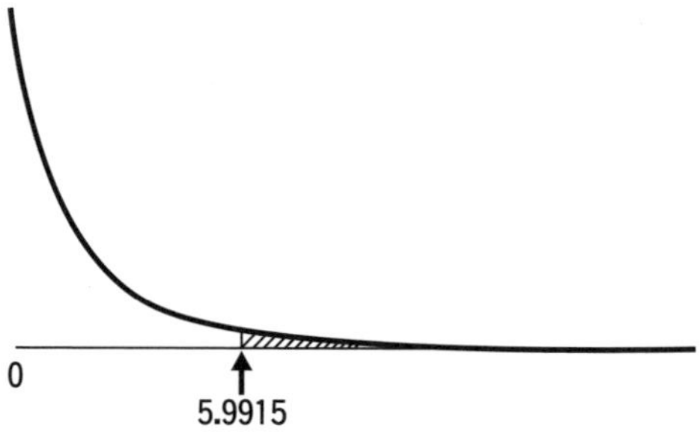

103ページのカイ二乗分布表で明らかなように、0.05です。

この例題におけるχ_0^2は132ページで計算済みです。8.0091です。どうでしょう、たまたま抽出された300人のデータから求められたものとはいえ、いくらなんでも大きすぎるのではないでしょうか。132ページのコメントも踏まえつつ考えるならば、母集団である「日本に住む高校生全員」におけるクラメールの連関係数の値は0よりも大きいと考えたほうが自然なのではないでしょうか。

この例題にかぎらず、独立性の検定では、

①「母集団におけるクラメールの連関係数の値は0だ」とひとまず解釈し、
②標本のデータからχ_0^2を求め、
③χ_0^2があまりにも大きければ「母集団におけるクラメールの連関係数の値は0よりも大きい」と結論づける、

という流れで話が進められます。記憶に残しておいてください。

前段落の③について補足します。

χ_0^2が大きいほど、下図斜線部分の確率は当然ながら小さくなります。

図7.3　χ_0^2に対応する確率

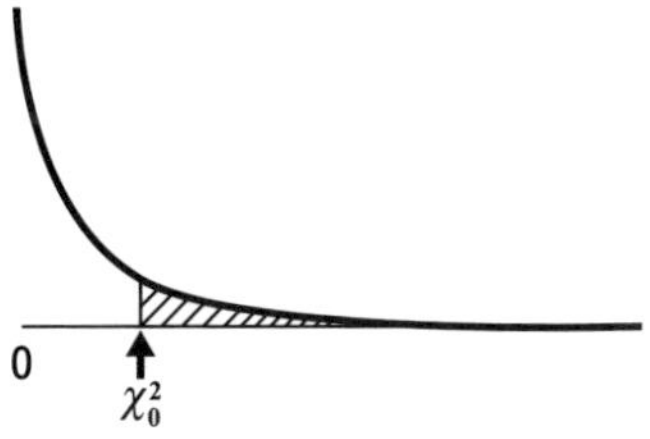

独立性の検定では、上図斜線部分の確率が有意水準と呼ばれる値以下ならば、「母集団におけるクラメールの連関係数の値は0よりも大きい」と結論づけます。有意水準は0.05か0.01とするのが一般的であり、どちらを採るかは分析者の判断に委ねられます。

有意水準として0.05を採用したとします。実は有意水準とは、下図斜線部分の確率のことなのです。

図7.4　図7.2を再掲したもの（＝χ_0^2が5.9915以上である確率）

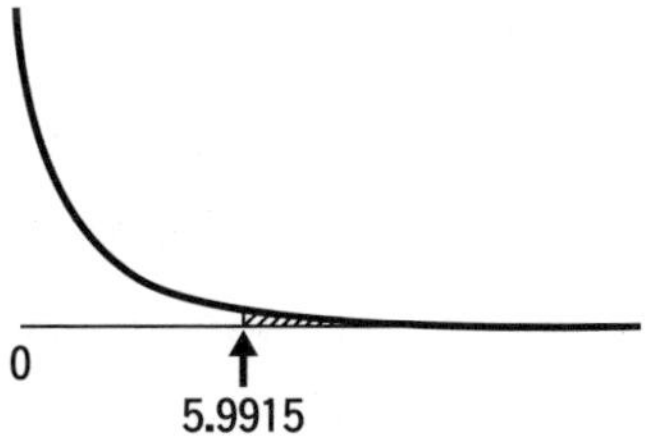

なお下図の範囲は棄却域と呼ばれます。

図7.5　（有意水準0.05に対応する）棄却域

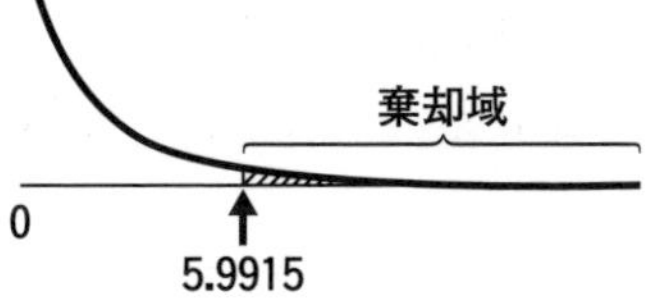

❗解答

Step1

母集団を定義する。

母集団は

母集団
＝日本に住む高校生全員

だ。

　この例題では母集団を「日本に住む高校生全員」とそもそも定義していました。ですからこの例題にかぎっていうならば、Step1はいうまでもなく不要です。

　たとえばです。149ページの表の「母比率の差の検定」では、「都市部に住む有権者」と「農村部に住む有権者」を母集団として想定しています。さて“都市部”とは具体的にどこを指しているのでしょうか。「東京都と大阪府」でしょうか。「各都道府県の県庁所在地」でしょうか。それは分析者が決めることです。そう、実際に「検定」をおこなう際には、母集団を分析者自身が定義しなければいけないのです。

　どの「検定」であれ、母集団をしっかり定義しておかないと、「あれっ、私は何を推測しようとしてたんだっけ？」という状況に陥ります。そうなってしまう分析者は少なくありません。くれぐれも注意してください。

Step2

帰無仮説と対立仮説を立てる。

帰無仮説は

母集団のクラメールの連関係数の値は0だ。
=「性別」と「されたい告白方法」は関連していない。

対立仮説は

母集団のクラメールの連関係数の値は0よりも大きい。
=「性別」と「されたい告白方法」は関連している。

帰無仮説と**対立仮説**については、のちほど解説します。

Step3

どの「検定」をおこなうか選択する。

独立性の検定をおこなおう。

この例題では独立性の検定をおこなうことにそもそもなっていました。ですからこの例題にかぎっていうならば、Step3はいうまでもなく不要です。

実際に「検定」をおこなう際には、分析目的に見合った「検定」を分析者自身が選択しなければいけません。

Step4

有意水準を決定する。

有意水準は0.05にしよう。

この例題では有意水準を0.05とすることになっていました。ですからこの例題にかぎっていうならば、Step4はいうまでもなく不要です。

実際に「検定」をおこなう際には、有意水準を分析者自身が決定しなければいけません。先に述べたとおり、有意水準は0.05か0.01とするのが一般的です。

有意水準は「α」という記号で表記するのが一般的です。

Step5

標本のデータから検定統計量の値を求める。

私がやろうとしているのは独立性の検定だ。
だから検定統計量はピアソンのカイ二乗統計量χ_0^2だ。この例題におけるχ_0^2の値は132ページで計算済みだ。χ_0^2＝8.0091だ。

検定統計量とは、標本のデータを1つの値に変換する公式のことです。
おこなう「検定」の種類により検定統計量は異なります。独立性の検定の場合は上記のとおりχ_0^2ですし、無相関の検定（※149ページ参照）の場合は、下記のものです。

$$\frac{\text{単相関係数}^2 \times \sqrt{\text{データの個数}-2}}{\sqrt{1-\text{単相関係数}^2}}$$

Step6

Step5で求めた検定統計量の値が棄却域に入っているかどうかを調べる。

検定統計量であるピアソンのカイ二乗統計量χ_0^2の値は8.0091だ。

棄却域は、有意水準αが0.05なので、103ページのカイ二乗分布表より、「5.9915以上」だ。

下図のとおり、検定統計量の値は棄却域に入っているのだ。

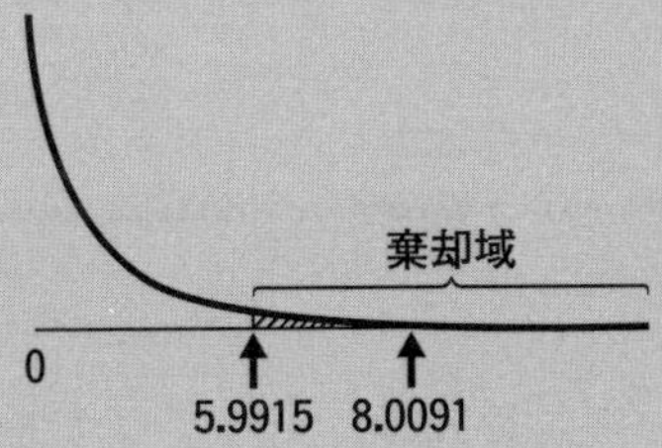

棄却域は有意水準αにより変化します。この例題のαが0.05ではなく0.01だった場合の棄却域は、103ページのカイ二乗分布表より、「9.2104以上」です。

Step7

Step6において検定統計量の値が棄却域に入っていたならば、「対立仮説は正しい」との結論を下す。そうでなければ、「帰無仮説は誤っているとはいえない」との結論を下す。

検定統計量の値は棄却域に入っていた。したがって

母集団のクラメールの連関係数の値は0よりも大きい。 ＝「性別」と「されたい告白方法」は関連している。

という対立仮説は正しい！

検定統計量の値が棄却域に入っていても、「対立仮説は“絶対”に正しい」との結論を下すことは実は「検定」ではできません。できるのは、「対立仮説は“絶対”に正しい、といいたいところだけど…。やっぱり帰無仮説のほうが正しい確率が、最大で（$\alpha \times 100$）％存在してしまう」との結論を下すことだけです。

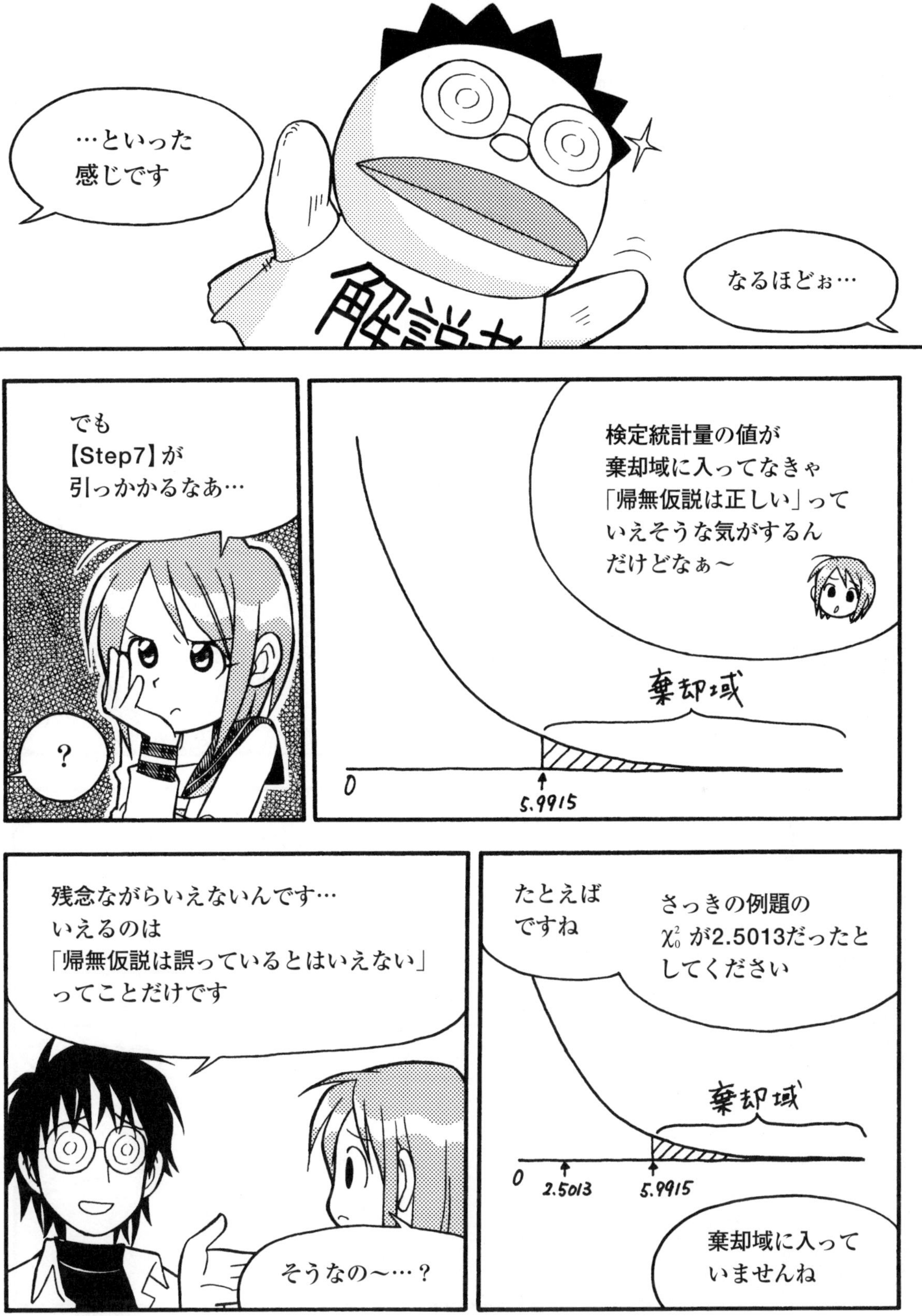
…といった
感じです
解説
なるほどぉ…
でも
【Step7】が
引っかかるなあ…
？
検定統計量の値が
棄却域に入ってなきゃ
「帰無仮説は正しい」って
いえそうな気がするん
だけどなぁ～
棄却域
0
5.9915
残念ながらいえないんです…
いえるのは
「帰無仮説は誤っているとはいえない」
ってことだけです
そうなの～…？
たとえば
ですね
さっきの例題の
χ_0^2 が2.5013だったと
してください
棄却域
0
2.5013
5.9915
棄却域に入って
いませんね

なので「母集団のクラメールの連関係数の値はゼロよりも大きい」との結論を下すことは当然できません
フムぅ〜〜〜
ですが「母集団のクラメールの連関係数はゼロだ」と断言できるはずがありませんね
もう少しわかりやすくたとえばなしをしましょうか…
ルイちゃんが食べようと思ってたプリンが誰かに食べられちゃってたとします
誰だ！犯人は!?
容疑者としてユミちゃんがあがりました
ユミちゃんヒドイ！
たとえば…の話ですよ…
「検定」の種類とか有意水準といった細かなことはおいといて…
帰無仮説　ユミちゃんは犯人だ。
対立仮説　ユミちゃんは犯人ではない。
トン
…という仮説を対象に「検定」を行うとします

ユミちゃんには
かなり有力な
アリバイが
存在したと
しましょう
その時間は
塾に行ってました
ならば
「ユミちゃんは犯人ではない」
との結論を下すことに異論を
はさむ余地はほとんどありません
失礼しちゃうわ
けいさつ
ごめんね
そうだね…
さて
ユミちゃんには
幾分あやしげな
アリバイしか
存在しなかったと
しましょう
その時間は
近所を散歩してました
あやしい…
ならば
「ユミちゃんは犯人
ではない」との
結論を下すことは
当然できません
しかしだからといって
「ユミちゃんは犯人だ」
などと断言できるはずが
ありません
ちょっとぉ～
証拠はあるのぉ？
なるほどぉ…
そういうわけです
それでは先に
進みますよ
あっ
ちょっと待ってて！
たっ
？

✿ 3. 帰無仮説と対立仮説 ✿

ぷるん～
おかげで冷蔵庫に
プリンがあったのを
思い出したよぉ♪
盗まれてなくて
よかったですね
さて
「検定」をおこなうに
あたっては
帰無仮説と対立仮説を
必ず立てなければ
なりません
実はですね
帰無仮説と対立仮説を
ひとことで説明するのは
かなり難しいのです
ありゃ？
てか
帰無仮説と対立仮説って
なーに？
あとで説明するって
いってたけど
まだきいてないよ～？

そこで…
帰無仮説と対立仮説が
どんなものかというよりも
どのような仮説を
帰無仮説と対立仮説に
充てるのかを説明します
おー
実用的〜

「検定」の例	
名称	用いられる場面の例
独立性の検定	母集団における「性別」と「されたい告白方法」のクラメールの連関係数の値が0ではないかどうかの推測
相関比の検定	母集団における「好きな洋服のブランド」と「年齢」の相関比の値が0ではないかどうかの推測
無相関の検定	母集団における「1ヶ月に使う化粧品代」と「1ヶ月に使う洋服代」の単相関係数の値が0ではないかどうかの推測
母平均の差の検定	東京都の女子高生と大阪府の女子高生の「毎月のおこづかい」が異なるかどうかの推測 ※2つの母集団を想定していることに注意
母比率の差の検定	都市部に住む有権者と農村部に住む有権者の「××内閣の支持率」が異なるかどうかの推測 ※2つの母集団を想定していることに注意

さっき紹介した表です
この表の例をもとに説明しますね
はーい

■独立性の検定

帰無仮説	母集団における「性別」と「されたい告白方法」のクラメールの連関係数の値は0である。
対立仮説	母集団における「性別」と「されたい告白方法」のクラメールの連関係数の値は0よりも大きい。

■相関比の検定

帰無仮説	母集団における「好きな洋服のブランド」と「年齢」の相関比の値は0である。
対立仮説	母集団における「好きな洋服のブランド」と「年齢」の相関比の値は0よりも大きい。

■無相関の検定

帰無仮説	母集団における「1ヶ月に使う化粧品代」と「1ヶ月に使う洋服代」の単相関係数の値は0である。
対立仮説	母集団における「1ヶ月に使う化粧品代」と「1ヶ月に使う洋服代」の単相関係数の値は0ではない。 あるいは 母集団における「1ヶ月に使う化粧品代」と「1ヶ月に使う洋服代」の単相関係数の値は0よりも大きい。 あるいは 母集団における「1ヶ月に使う化粧品代」と「1ヶ月に使う洋服代」の単相関係数の値は0よりも小さい。

■母平均の差の検定

帰無仮説	東京都の女子高生と大阪府の女子高生の「毎月のおこづかい」は等しい。
対立仮説	東京都の女子高生と大阪府の女子高生の「毎月のおこづかい」は異なる。 あるいは 東京都の女子高生よりも大阪府の女子高生のほうが、「毎月のおこづかい」が多い。 あるいは 東京都の女子高生よりも大阪府の女子高生のほうが、「毎月のおこづかい」が少ない。

■母比率の差の検定

帰無仮説	都市部に住む有権者と農村部に住む有権者の「××内閣の支持率」は等しい。
対立仮説	都市部に住む有権者と農村部に住む有権者の「××内閣の支持率」は異なる。 あるいは 都市部に住む有権者よりも農村部に住む有権者のほうが、「××内閣の支持率」が高い。 あるいは 都市部に住む有権者よりも農村部に住む有権者のほうが、「××内閣の支持率」が低い。

いかがでしたか？
帰無仮説には「母集団のクラメールの連関係数の値は“ほぼ”ゼロだ」ではなく「母集団のクラメールの連関係数の値はゼロだ」などという立証が難しそうな仮説が充てられていたのがわかりましたか？
うん 極論みたいなのばっかだね
そして帰無仮説には「～である」「～等しい」といった肯定的な仮説が
対立仮説には「～ではない」「～異なる」といった否定的な仮説が充てられていたのがわかりましたか？
そうだね
立証が難しそうで肯定的な仮説を帰無仮説に充て、
そのような帰無仮説に対立する仮説を対立仮説に充てる
フムフム なるほど…
——そう捉えておけばよいでしょう

4. P値と「検定」の手順
①検定統計量の値が
棄却域に入っているかどうか
②有意水準よりも
P値のほうが小さいかどうか
「検定」における結論を下す際の根拠には…
こちらの2つの種類が存在します
①のやつはさっききいたけど②はまだだよ
『P値』ってなんなのさ～！
「検定」の種類によって考え方が少し違うのですが…
独立性の検定における『P値』とは
帰無仮説の状況が真実である場合に、今回求められたものと等しいかそれよりも大きなχ_0^2の値が求められる確率のことです
前の例でいうと…
0
$\chi_0^2=8.0091$
ここの確率のことです

なる〜
この斜線部分の
ことかぁ…
P値の算出は
パソコンが普及する
までは大変だったん
ですよ
90年代初め
くらいまではね
へー
なので
「検定」における
結論を下す際の
根拠に
①を採用することが
ほとんど
だったんです
今は？
Excelなんかを
利用すれば
P値を求められる
ようになったので
②を採用することが
増えてきましたねぇ
ほうほう
②の場合は
先ほど説明した
①とは手順が
変わってきますので…
あらためて
分析しちゃうわよー
分析者
変な声出さないでー

Step6p

有意水準よりもStep5で求めた検定統計量の値に対応するＰ値のほうが小さいかどうかを調べる。

有意水準は0.05だ。

Ｐ値は、検定統計量であるピアソンのカイ二乗統計量χ_0^2の値が8.0091なので、0.0182だ。

0.0182＜0.05だ。つまりＰ値のほうが小さいのだ。

先に述べたとおり、Excelを利用すれば、「検定」の種類にもよりますが、Ｐ値を求められます。

うれしいことに、独立性の検定のＰ値はExcelで求められます。詳しくは208ページを参照してください。

Step7p

Step6pにおいて有意水準よりもP値のほうが小さかったならば、「対立仮説は正しい」との結論を下す。そうでなければ、「帰無仮説は誤っているとはいえない」との結論を下す。

有意水準よりもP値のほうが小さかった。したがって

> 母集団のクラメールの連関係数の値は0よりも大きい。
> =「性別」と「されたい告白方法」は関連している。

という対立仮説は正しい！

有意水準よりもP値のほうが小さかったとしても、「対立仮説は“絶対”に正しい」との結論を下すことは実は「検定」ではできません。できるのは、「対立仮説は“絶対”に正しい、といいたいところだけど…。やっぱり帰無仮説のほうが正しい確率が、（P値×100）％存在してしまう」との結論を下すことだけです。

なんだ ①の場合と 同じようなもの なんだね
だいたい わかったよ
おぉー！ 心強い言葉 ですねぇ
えへへー
いいですか？ ルイちゃん ①のプリンの話を 思い出してください
有意水準よりも P値のほうが大きければ 「帰無仮説は正しい」との結論を 下せそうな気がしますけれど それはできません
できるのは あくまでも…
「帰無仮説は 誤っているとはいえない」 との結論を下すこと だけです
にはっ
ううっ

最後まで
よくがんばり
ましたね
ルイちゃん
ペコ
山本さん
ありがとう
ございました
統計学、
最初は難しく
思ったけど
結構わかるように
なった気がするよ
アンケートの
集計表とかね、
なんだか面白く
感じられるんだ――
Pairls
うぅ～～～
そういってもらえると
僕も嬉しいですよ
もっと
いろんな分析を
してみたいよ！
ハハハ…
ルイちゃんも
僕たちみたいな
仕事に就いたら？
そっか…
最初はそういう
目的だったん
だっけ…
じゃあ僕は
帰ります
ねー

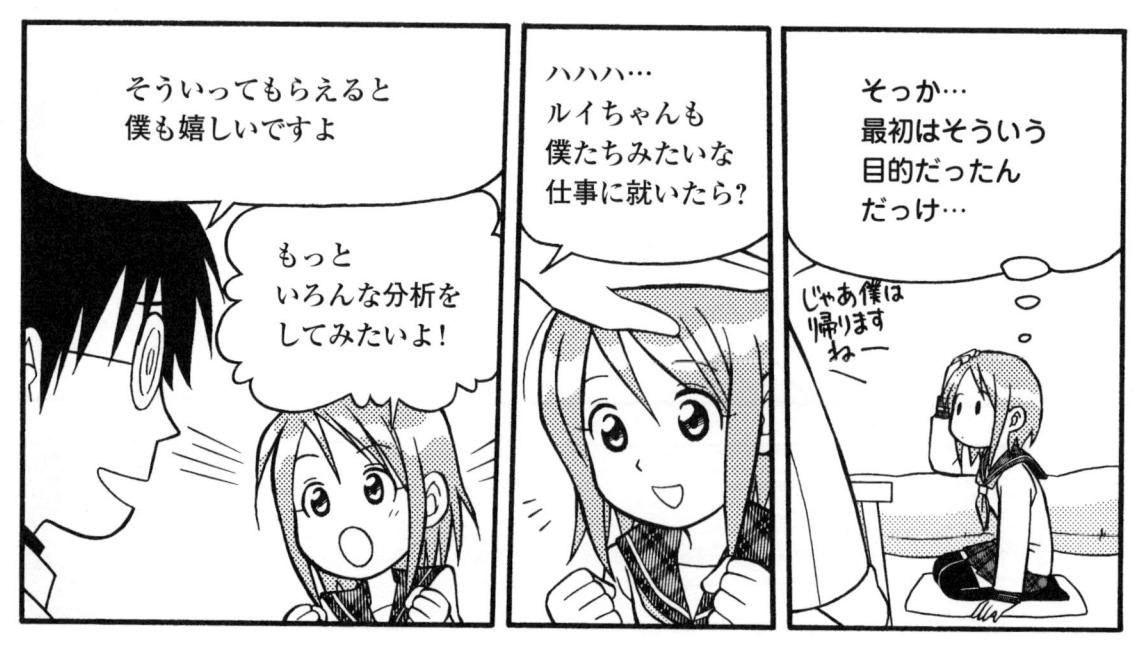

よし
五十嵐さんに
会いに行こう!
あ、
五十嵐くん
なら今…
新婚旅行で
休暇中
ですよ
ええ〜〜〜っ!?
結婚!?
そんな…私は一体
今まで何のために
統計学を…?
ガーン
ガーン
奥さんが
いるなんて…
えっ?
純粋な興味
からじゃ
なかったん
ですか?
うるさぁ〜〜〜い!!
だぁ〜〜っ
わっ
あぶない
どっしーん
ごめんなさ…..

大丈夫？
キャ〜〜〜〜〜〜〜〜〜〜ッ

これからも
いろんなこと
教えてくださいね
山本さん！
えっ
えっ？
2人の授業は続く…！
のかな？

✿ 5. 独立性の検定と同一性の検定 ✿

独立性の検定と非常によく似た「検定」に**同一性の検定**（test of homogeneity）があります。

同一性の検定の例を以下に示します。独立性の検定とどこがどう違うのか考えながら読み進めてください。

例

「高校生 300 人にききました！　告白されるとしたら、

・電話で

・メールで

・直接会って

のうち、どの方法でされたい？」という記事を、出版社の凛々社は女性誌『P-girls』に載せることにしました。さて凛々社は、以前から

> **仮説**
>
> 電話で：メールで：直接会って
>
> という人数比は、女子高校生と男子高校生で異なる。

との仮説を立てていました。そこで上記の仮説が正しいかどうかを解明すべく、凛々社は、「日本に住む女子高校生全員」と「日本に住む男子高校生全員」からそれぞれ無作為に人々を抽出し、アンケートを実際におこないました。その結果が下表です。

	されたい告白方法	年齢	性別
回答者1	直接会って	17	女
：	：	：	：
回答者148	メールで	16	女
回答者149	電話で	15	男
：	：	：	：
回答者300	メールで	18	男

そして「性別」と「されたい告白方法」のクロス集計表が下表です。

		されたい告白方法			計
		電話で	メールで	直接会って	
性別	女性	34	61	53	148
	男性	38	40	74	152
計		72	101	127	300

先述の仮説が正しいかどうかを同一性の検定により推測しなさい。なお有意水準は0.05とします。

解

Step1	母集団を定義する。	「日本に住む女子高校生全員」と「日本に住む男子高校生全員」を母集団とする。
Step2	帰無仮説と対立仮説を立てる。	帰無仮説は、 「〈電話で：メールで：直接会って〉は、女子高校生と男子高校生で等しい」である。 対立仮説は、 「〈電話で：メールで：直接会って〉は、女子高校生と男子高校生で異なる」である。
Step3	どの検定をおこなうか選択する。	同一性の検定をおこなう。
Step4	有意水準を決定する。	有意水準を0.05とする。
Step5	標本のデータから 検定統計量の値を求める。	この例題でやろうとしているのは同一性の検定である。 したがって検定統計量はピアソンのカイ二乗統計量χ_0^2である。 この例題におけるχ_0^2の値は132ページで計算済みである。 $\chi_0^2 = 8.0091$である。 なおこの例題において、ピアソンのカイ二乗統計量χ_0^2は、帰無仮説の状況が真実ならば、自由度$(2-1)\times(3-1)=1\times2=2$のカイ二乗分布にしたがう。
Step6	Step5で求めた検定統計量の値が棄却域に入っているかどうかを調べる。	検定統計量χ_0^2の値は8.0091である。棄却域は、有意水準αが0.05なので、103ページのカイ二乗分布表より、「5.9915以上」である。 検定統計量の値は棄却域に入っている。
Step7	Step6において検定統計量の値が棄却域に入っていたならば、「対立仮説は正しい」との結論を下す。 そうでなければ、「帰無仮説は誤っているとはいえない」との結論を下す。	検定統計量の値は棄却域に入っていた。したがって 「〈電話で：メールで：直接会って〉は、女子高校生と男子高校生で異なる」との対立仮説は正しい。

いかがでしたか。例題も解答も、独立性の検定の例とソックリでしたね。

独立性の検定と同一性の検定の違いを確認しておきましょう。違いは３点あります。まず定義している母集団が異なります。前者では「日本に住む高校生全員」という一群を母集団とし、後者では「日本に住む女子高校生全員」と「日本に住む男子高校生全員」という二群を母集団としています。つぎに仮説が異なります。前者では

帰無仮説	母集団のクラメールの連関係数の値は0だ。 ＝「性別」と「されたい告白」は関連していない。
対立仮説	母集団のクラメールの連関係数の値は0よりも大きい。 ＝「性別」と「されたい告白」は関連している。

とし、後者では

帰無仮説	〈電話で：メールで：直接会って〉は、女子高校生と男子高校生で等しい。
対立仮説	〈電話で：メールで：直接会って〉は、女子高校生と男子高校生で異なる。

としています。そして物事の順序が異なります。前者ではデータを収集した後に仮説を立てており、後者ではデータを収集する前に仮説を立てています。

前段落で確認したとおり、独立性の検定と同一性の検定には明確な相違点があります。しかし実務では、独立性の検定をやっているつもりが同一性の検定をやってしまっていたりあるいはその反対をやってしまっていたりすることが往往にしてあります。気をつけてください。

✿ 6.「検定」における結論の表現 ✿

「検定」における結論を

> 検定統計量の値が棄却域に入っていたならば、「対立仮説は正しい」との結論を下す。
> そうでなければ、「帰無仮説は誤っているとはいえない」との結論を下す。

とこれまで表現してきました。実は、この表現はあまり一般的ではありません。

「検定」における結論の表現にはさまざまなものがあります。下表にまとめました。

表 7.4 「検定」における結論の表現

検定統計量の値が 棄却域に入っていた場合	検定統計量の値が 棄却域に入っていなかった場合
• 対立仮説は正しい • 有意である • 帰無仮説を棄却する	• 帰無仮説は誤っているとはいえない • 有意でない • 帰無仮説を棄却できない • 帰無仮説を保留する • 帰無仮説は真ではないといえない • 帰無仮説を採択する

「有意である」「有意でない」という表現が比較的に使われるのではないでしょうか。さて一般的ではない表現をなぜ筆者はわざわざ用いたのか。以下に理由を述べます。

おそらく検定統計量の値やＰ値の大きさだけを確認してそういっているのでしょう、「検定」を学びたての方々の中に、具体的にどういう状況を指すのか今ひとつ理解していないまま「有意である」との発言を連発される方がいるのに筆者は気づきました。「有意である」の意味するところがわからないということはつまり、確固たる帰無仮説と対立仮説を立てぬまま「検定」をその方はおこなっていると考えられます。母集団の定義も不明瞭だと考えられます。学びたての人にあんまり目くじらを立てるのも…。以前まで筆者はそう思っていました。しかし、帰無仮説や対立仮説はあやふやなのに結論はどういうわけか下せる、やはりそんなおかしな話はないわけです。そこで本書では、帰無仮説や対立仮説を頭に思い浮かべる癖が読者につくように、「対立仮説は正しい」「帰無仮説は誤っているとはいえない」という表現を用いたのです。

例題と解答

例題

下表は、前章の138ページにおけるクロス集計表を再掲したものです。

		コーヒーと紅茶のどちら		計
		コーヒー	紅茶	
よく食べる料理の種類	和食	43	33	76
	洋食	51	53	104
	中華	29	41	70
計		123	127	250

母集団である「日本に住む20歳以上の人々」における「よく食べる料理の種類」と「コーヒーと紅茶のどちら」のクラメールの連関係数の値は0よりも大きいかどうかを、つまり「よく食べる料理の種類」と「コーヒーと紅茶のどちら」は関連しているかどうかを、独立性の検定により推測しなさい。なお有意水準は0.01とします。

解答

Step1	母集団を定義する。	「日本に住む20歳以上の人々」を母集団とする。
Step2	帰無仮説と対立仮説を立てる。	帰無仮説は、 「「よく食べる料理の種類」と「コーヒーと紅茶のどちら」は関連していない」である。 対立仮説は、 「「よく食べる料理の種類」と「コーヒーと紅茶のどちら」は関連している」である。
Step3	どの「検定」をおこなうか選択する。	独立性の検定をおこなう。
Step4	有意水準を決定する。	有意水準を0.01とする。
Step5	標本のデータから 検定統計量の値を求める。	この例題でやろうとしているのは独立性の検定である。 したがって検定統計量はピアソンのカイ二乗統計量χ_0^2である。 この例題におけるχ_0^2の値は141ページで計算済みである。 $\chi_0^2 = 3.3483$である。
Step6	Step5で求めた検定統計量の値が棄却域に入っているかどうかを調べる。	検定統計量χ_0^2の値は3.3483である。棄却域は、有意水準αが0.01なので、103ページのカイ二乗分布表より、「9.2104以上」である。 検定統計量の値は棄却域に入っていない。
Step7	Step6において検定統計量の値が棄却域に入っていたならば、「対立仮説は正しい」との結論を下す。 そうでなければ、「帰無仮説は誤っているとはいえない」との結論を下す。	検定統計量の値は棄却域に入っていなかった。したがって 「「よく食べる料理の種類」と「コーヒーと紅茶のどちら」は関連していない」との帰無仮説は誤っているとはいえない。

まとめ

- 「検定」は、母集団について分析者が立てた仮説が正しいかどうかを、標本のデータから推測する分析手法である。
- 「検定」は、正確には統計的仮説検定と呼ばれる。
- 検定統計量は、標本のデータを１つの値に変換する公式である。
- 有意水準は、0.05か0.01とするのが一般的である。
- 棄却域は、有意水準に対応する範囲である。
- 独立性の検定は、「母集団のクラメールの連関係数の値がさすがに0ということはないかどうか」を推測するための分析手法である。「クロス集計表における２変数が関連しているかどうか」を推測するための分析手法ともいえる。
- 「ピアソンのカイ二乗統計量 χ_0^2」は、母集団のクラメールの連関係数の値が0ならば、カイ二乗分布にしたがう。
- 独立性の検定におけるＰ値は、帰無仮説の状況が真実である場合に、今回求められたものと等しいかそれよりも大きなピアソンのカイ二乗統計量 χ_0^2 の値が求められる確率である。
- 「検定」における結論を下す際の根拠には、

  ①検定統計量の値が棄却域に入っているかどうか
  ②有意水準よりもＰ値のほうが小さいかどうか

  という２つの種類が存在する。
- 独立性の検定であれなんであれ、「検定」の分析手順は同一である。具体的には以下のとおりである。

Step1	母集団を定義する。
Step2	帰無仮説と対立仮説を立てる。
Step3	どの「検定」をおこなうか選択する。
Step4	有意水準を決定する。
Step5	標本のデータから検定統計量の値を求める。
Step6	Step5で求めた検定統計量の値が棄却域に入っているかどうかを調べる。
Step7	Step6において検定統計量の値が棄却域に入っていたならば、「対立仮説は正しい」との結論を下す。 そうでなければ、「帰無仮説は誤っているとはいえない」との結論を下す。
Step6p	有意水準よりもStep5で求めた検定統計量の値に対応するＰ値のほうが小さいかどうかを調べる。
Step7p	Step6pにおいて有意水準よりもＰ値のほうが小さかったならば、「対立仮説は正しい」との結論を下す そうでなければ、「帰無仮説は誤っているとはいえない」との結論を下す。

◆付録◆

Excelで計算してみよう！

ここでは、Excelの関数を利用しての

1　度数分布表の（一部の）作成

2　平均・中央値・標準偏差の算出

3　「単純集計表」の（一部の）作成

4　基準値・偏差値の算出

5　標準正規分布の確率の算出

6　カイ二乗分布の横軸の目盛りの算出

7　単相関係数の値の算出

8　独立性の検定

を解説します。

Excelの関数に慣れていない読者には、まず「2　平均・中央値・標準偏差の算出」（195ページ）にチャレンジすることをお勧めします。

1　度数分布表の（一部の）作成

使用するデータ　33ページ

Step 1

セル「J3」を選択する。

図1-1

	A	B	C	D	E	F	G	H	I	J
1		値段(円)			値段(円)					
2	ラーメン屋1	700		ラーメン屋26	780		以上	未満	(以下)	度数
3	ラーメン屋2	850		ラーメン屋27	590		500	600	599	
4	ラーメン屋3	600		ラーメン屋28	650		600	700	699	
5	ラーメン屋4	650		ラーメン屋29	580		700	800	799	
6	ラーメン屋5	980		ラーメン屋30	750		800	900	899	
7	ラーメン屋6	750		ラーメン屋31	800		900	1000	999	
8	ラーメン屋7	500		ラーメン屋32	550					
9	ラーメン屋8	890		ラーメン屋33	750					
10	ラーメン屋9	880		ラーメン屋34	700					
11	ラーメン屋10	700		ラーメン屋35	600					
12	ラーメン屋11	890		ラーメン屋36	800					
13	ラーメン屋12	720		ラーメン屋37	800					
14	ラーメン屋13	680		ラーメン屋38	880					
15	ラーメン屋14	650		ラーメン屋39	790					
16	ラーメン屋15	790		ラーメン屋40	790					
17	ラーメン屋16	670		ラーメン屋41	780					
18	ラーメン屋17	680		ラーメン屋42	600					
19	ラーメン屋18	900		ラーメン屋43	670					
20	ラーメン屋19	880		ラーメン屋44	680					
21	ラーメン屋20	720		ラーメン屋45	650					
22	ラーメン屋21	850		ラーメン屋46	890					
23	ラーメン屋22	700		ラーメン屋47	930					
24	ラーメン屋23	780		ラーメン屋48	650					
25	ラーメン屋24	850		ラーメン屋49	777					
26	ラーメン屋25	750		ラーメン屋50	700					

Step 2

メニューバーの「挿入」から「関数」を選択する。

図 1-2

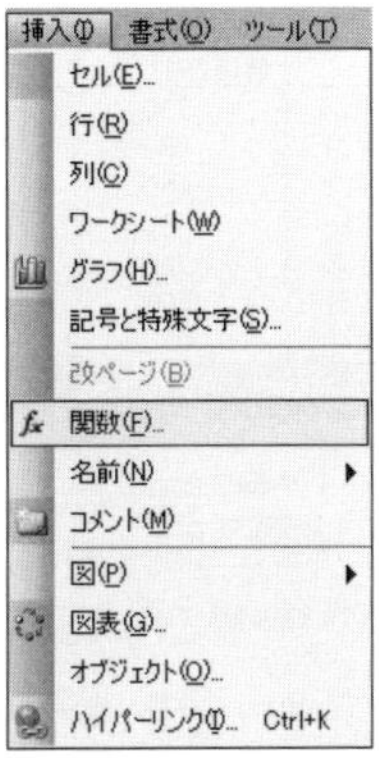

Step 3

「関数の分類」で「統計」を選択し、「関数名」で「FREQUENCY」を選択する。

図 1-3

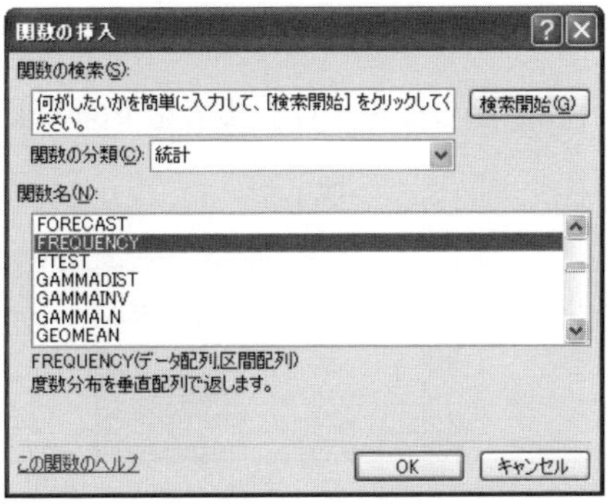

Step 4

下図の範囲を選択し、「OK」ボタンを押す。

図1-4

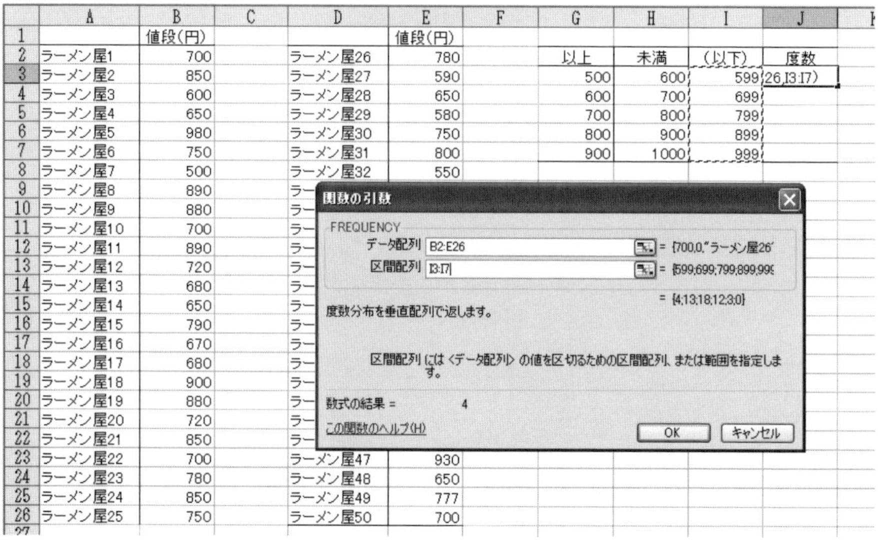

Step 5

セル「J3」を起点とし、セル「J3」からセル「J7」までを下図のように選択する。

図1-5

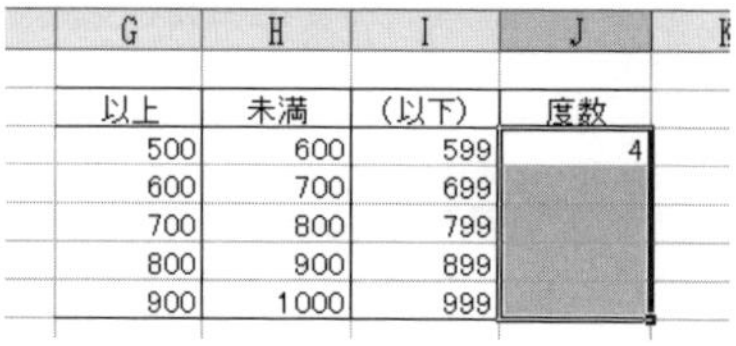

Step 6

数式バーにおけるこの部分をクリックする。

図1-6

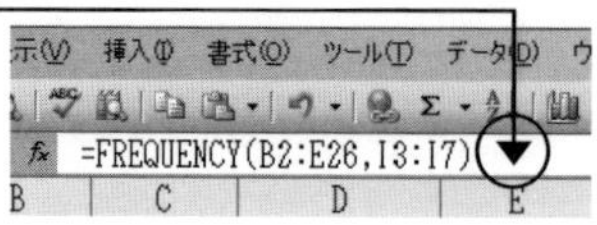

Step 7

「Shift」キーと「Ctrl」キーの双方を押しつつ「Enter」キーを押す。

Step 8

計算完了!!

図 1-7

G	H	I	J
以上	未満	（以下）	度数
500	600	599	4
600	700	699	13
700	800	799	18
800	900	899	12
900	1000	999	3

2 平均・中央値・標準偏差の算出

使用するデータ　41 ページ

Step 1

セル「B10」を選択する。

図 2-1

	A	B	C
1		Aチーム	
2	ルイルイ	86	
3	じゅん	73	
4	ユミ	124	
5	しずか	111	
6	トーコ	90	
7	かえで	38	
8			
9			
10	平均		
11	中央値		
12	標準偏差		
13			

Step 2

メニューバーの「挿入」から「関数」を選択する。

図 2-1a

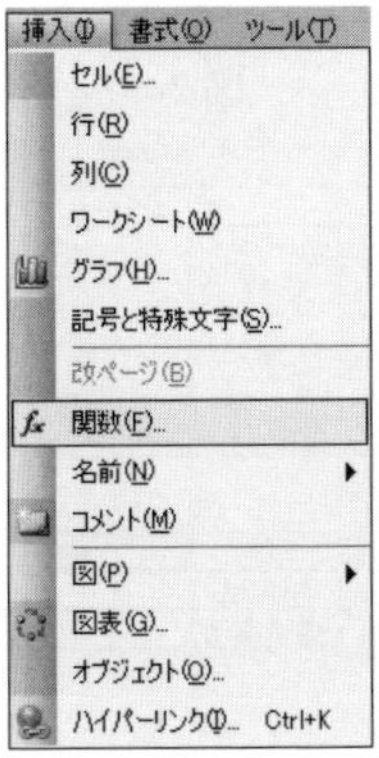

Step 3

「関数の分類」で「統計」を選択し、関数名で「AVERAGE」を選択する。

図 2-2

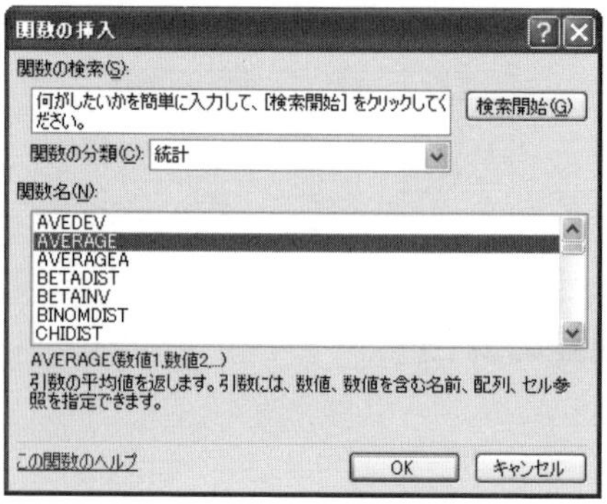

Step 4

下図の範囲を選択し、「OK」ボタンを押す。

図 2-3

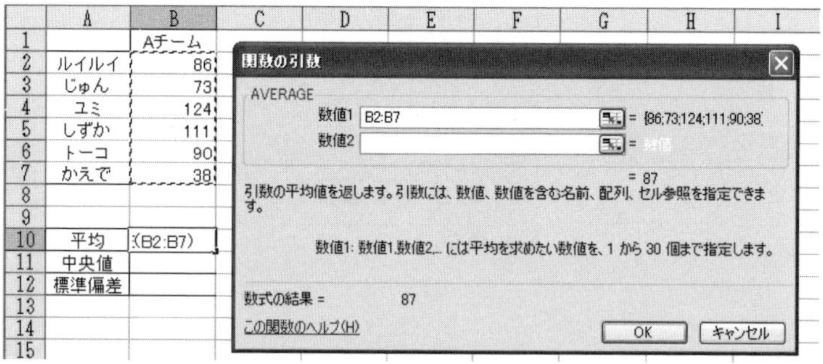

Step 5

計算完了!!

図 2-4

Step 6

【Step1】から【Step5】までと同じ要領で、中央値と標準偏差を求める。中央値を求める場合は「MEDIAN」という関数を、標準偏差を求める場合は「STDEVP」という関数を利用する。

3 「単純集計表」の（一部の）作成

使用するデータ　61 ページ

Step 1

セル「F20」を選択する。

図 3-1

	A	B	C	D	E	F	G	H
1		新しい制服は…			新しい制服は…			新しい制服は…
2	1	好き		16	どちらともいえない		31	どちらともいえない
3	2	どちらともいえない		17	好き		32	どちらともいえない
4	3	好き		18	好き		33	好き
5	4	どちらともいえない		19	好き		34	きらい
6	5	きらい		20	好き		35	好き
7	6	好き		21	好き		36	好き
8	7	好き		22	好き		37	好き
9	8	好き		23	きらい		38	好き
10	9	好き		24	どちらともいえない		39	どちらともいえない
11	10	好き		25	好き		40	好き
12	11	好き		26	好き			
13	12	好き		27	きらい			
14	13	どちらともいえない		28	好き			
15	14	好き		29	好き			
16	15	好き		30	好き			
17								
18								
19						度数		
20					好き			
21					どちらともいえない			
22					きらい			

Step 2

メニューバーの「挿入」から「関数」を選択する。

Step 3

「関数の分類」で「統計」を選択し、関数名で「COUNTIF」を選択する。

Step 4

下図の範囲を選択し、「検索条件」に「好き」と直接書き入れたうえで「OK」ボタンを押す。

図 3-2

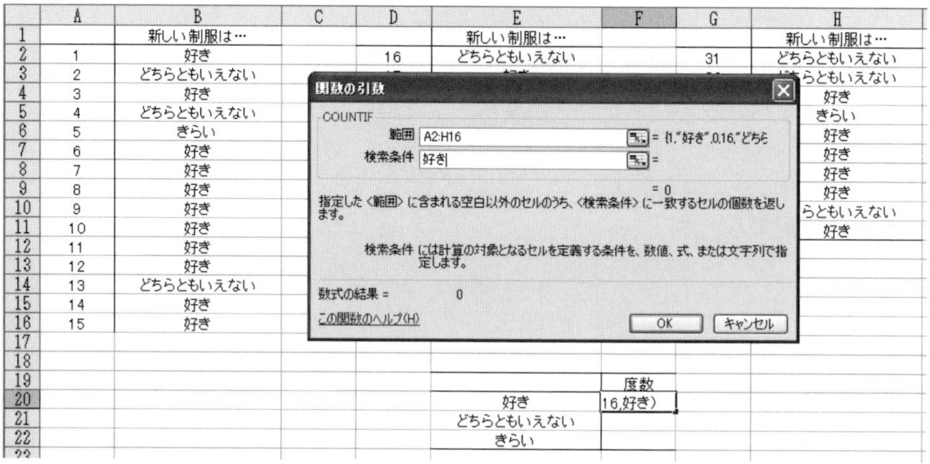

Step 5

計算完了!!

図 3-3

	A	B	C	D	E	F	G	H
1		新しい制服は…			新しい制服は…			新しい制服は…
2	1	好き		16	どちらともいえない		31	どちらともいえない
3	2	どちらともいえない		17	好き		32	どちらともいえない
4	3	好き		18	好き		33	好き
5	4	どちらともいえない		19	好き		34	きらい
6	5	きらい		20	好き		35	好き
7	6	好き		21	好き		36	好き
8	7	好き		22	好き		37	好き
9	8	好き		23	きらい		38	好き
10	9	好き		24	どちらともいえない		39	どちらともいえない
11	10	好き		25	好き		40	好き
12	11	好き		26	好き			
13	12	好き		27	きらい			
14	13	どちらともいえない		28	好き			
15	14	好き		29	好き			
16	15	好き		30	好き			
17								
18								
19						度数		
20					好き	28		
21					どちらともいえない			
22					きらい			

Step 6

【Step1】から【Step5】までと同じ要領で、「どちらともいえない」「きらい」の度数を求める。

4 基準値・偏差値の算出

使用するデータ　72ページ

【Step1】から【Step9】までが基準値に関する手順です。【Step10】から【Step12】までが偏差値に関する手順です。

基準値を求めるための関数はExcelに存在するものの、偏差値を求めるための関数は存在しません。とはいえ基準値の結果を利用すれば偏差値は比較的にすぐ求められます。それゆえ本書では、偏差値をExcelで求められるとみなしました。

Step 1

セル「E2」を選択する。

図4-1

	A	B	C	D	E	F	G
1		日本史			基準値	偏差値	
2	ルイ	73		ルイ			
3	ユミ	61		ユミ			
4	A	14		A			
5	B	41		B			
6	C	49		C			
7	D	87		D			
8	E	69		E			
9	F	65		F			
10	G	36		G			
11	H	7		H			
12	I	53		I			
13	J	100		J			
14	K	57		K			
15	L	45		L			
16	M	56		M			
17	N	34		N			
18	O	37		O			
19	P	70		P			
20	平均	53					
21	標準偏差	22.7					

Step 2

メニューバーの「挿入」から「関数」を選択する。

Step 3

「関数の分類」で「統計」を選択し、関数名で「STANDARDIZE」を選択する。

Step 4

セル「B2」を選択する。

図 4-2

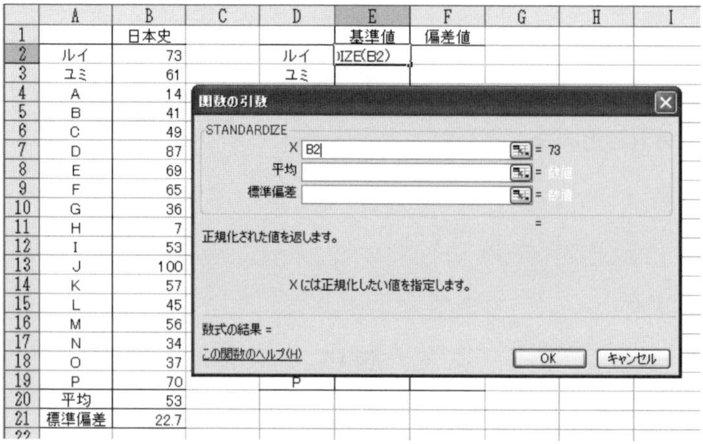

Step 5

「平均」でセル「B20」を選択したら「F4」キーを1回だけ押し、「B20」が「B20」になったことを確認する。

図 4-3

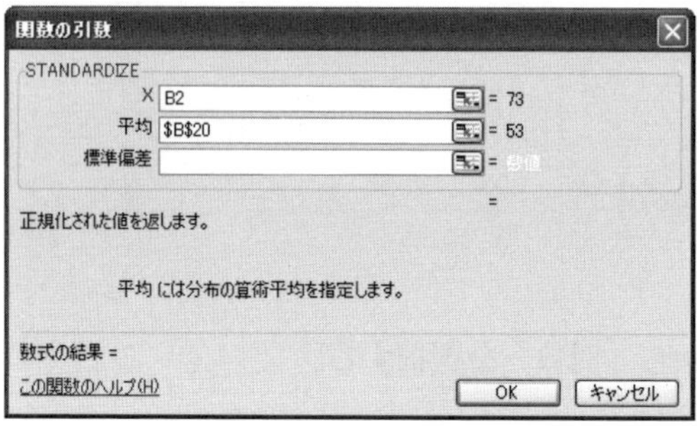

Step 6

「標準偏差」でセル「B21」を選択したら「F4」キーを1回だけ押し、「B21」が「B21」になったことを確認したうえで「OK」ボタンを押す。

図 4-4

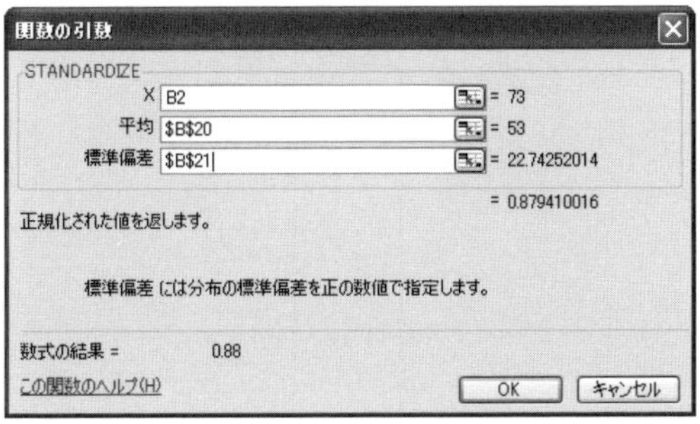
関数の引数
STANDARDIZE
X B2 = 73
平均 B20 = 53
標準偏差 B21 = 22.74252014
= 0.879410016
正規化された値を返します。
標準偏差 には分布の標準偏差を正の数値で指定します。
数式の結果 = 0.88
この関数のヘルプ(H)
OK
キャンセル

Step 7

ルイちゃんの基準値が求められたことを確認する。

図 4-5

	A	B	C	D	E	F
1		日本史			基準値	偏差値
2	ルイ	73		ルイ	0.88	
3	ユミ	61		ユミ		
4	A	14		A		
5	B	41		B		
6	C	49		C		
7	D	87		D		
8	E	69		E		
9	F	65		F		
10	G	36		G		
11	H	7		H		
12	I	53		I		
13	J	100		J		
14	K	57		K		
15	L	45		L		
16	M	56		M		
17	N	34		N		
18	O	37		O		
19	P	70		P		
20	平均	53				
21	標準偏差	22.7				

Step 8

マウスの先端の矢印をセル「E2」の右下に近づけ、矢印が「黒十字」になったのを確認したら、マウスの左ボタンを押しながらセル「E19」まで引っ張り、左ボタンを離す。

図 4-6

D	E	F
	基準値	偏差値
ルイ	0.88	
ユミ		
A		
B		
C		
D		
E		
F		
G		
H		
I		
J		
K		
L		
M		
N		
O		
P		

Step 9

基準値の計算完了!!

図 4-7

D	E	F
	基準値	偏差値
ルイ	0.88	
ユミ	0.35	
A	−1.71	
B	−0.53	
C	−0.18	
D	1.49	
E	0.70	
F	0.53	
G	−0.75	
H	−2.02	
I	0.00	
J	2.07	
K	0.18	
L	−0.35	
M	0.13	
N	−0.84	
O	−0.70	
P	0.75	

Step 10

セル「F2」を選択し、Wordなどで文章を書くのと同じ要領で「=E2*10+50」と書き、「Enter」キーを押す。

図 4-8

D	E	F
	基準値	偏差値
ルイ	0.88	=E2*10+50
ユミ	0.35	
A	−1.71	
B	−0.53	
C	−0.18	
D	1.49	
E	0.70	
F	0.53	
G	−0.75	
H	−2.02	
I	0.00	
J	2.07	
K	0.18	
L	−0.35	
M	0.13	
N	−0.84	
O	−0.70	
P	0.75	

Step 11

【Step8】と同様の操作をおこなう。

Step 12

偏差値の計算完了!!

図 4-9

D	E	F
	基準値	偏差値
ルイ	0.88	58.79
ユミ	0.35	53.52
A	−1.71	32.85
B	−0.53	44.72
C	−0.18	48.24
D	1.49	64.95
E	0.70	57.04
F	0.53	55.28
G	−0.75	42.53
H	−2.02	29.77
I	0.00	50.00
J	2.07	70.67
K	0.18	51.76
L	−0.35	46.48
M	0.13	51.32
N	−0.84	41.65
O	−0.70	42.96
P	0.75	57.47

5 標準正規分布の確率の算出

使用するデータ　93ページ

Step 1

セル「B2」を選択する。

図5-1

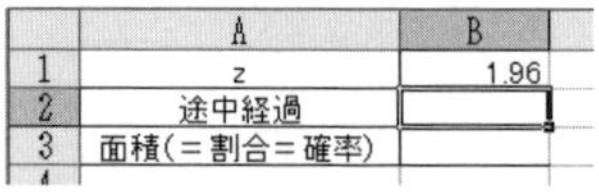

Step 2

メニューバーの「挿入」から「関数」を選択する。

Step 3

「関数の分類」で「統計」を選択し、関数名で「NORMSDIST」を選択する。

Step 4

セル「B1」を選択し、「OK」ボタンを押す。

図5-2

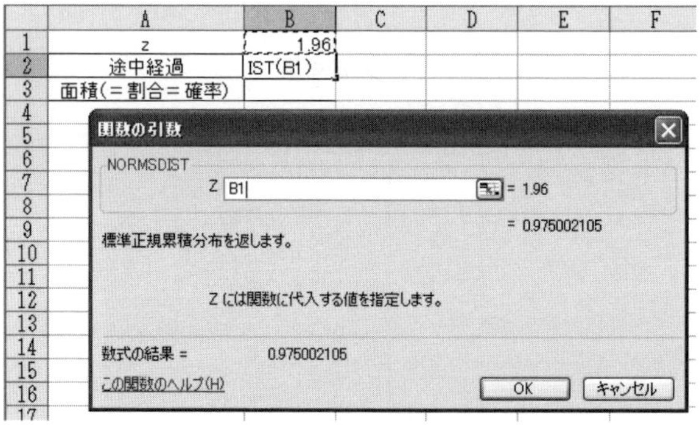

Step 5

実は「NORMSDIST」は、下図の確率を求めるための関数である。

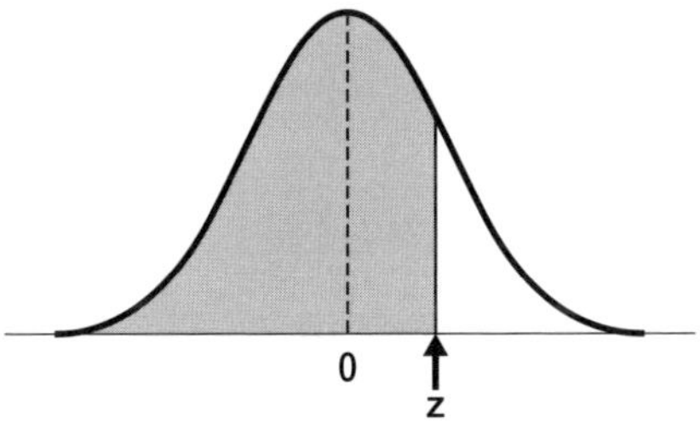

そこでセル「B3」に、Word などで文章を書くのと同じ要領で「＝B2－0.5」と書く。

図 5-3

	A	B
1	z	1.96
2	途中経過	0.975002
3	面積（＝割合＝確率）	=B2-0.5
4		

Step 6

計算完了!!

図 5-4

	A	B
1	z	1.96
2	途中経過	0.975002
3	面積（＝割合＝確率）	0.475002
4		

6 カイ二乗分布の横軸の目盛りの算出

使用するデータ　104 ページ

Step 1

セル「B3」を選択する。

図 6-1

	A	B
1	P	0.05
2	自由度	1
3	カイ二乗	
4		

Step 2

メニューバーの「挿入」から「関数」を選択する。

Step 3

「関数の分類」で「統計」を選択し、関数名で「CHIINV」を選択する。

Step 4

セル「B1」とセル「B2」を選択し、「OK」ボタンを押す。

図 6-2

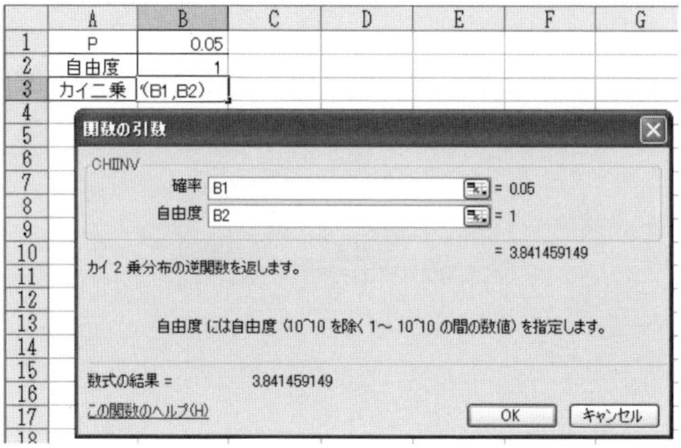

Step 5

計算完了!!

図 6-3

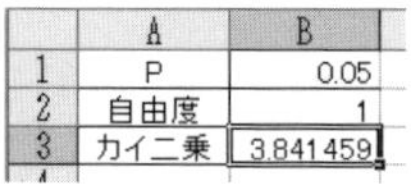

7 単相関係数の値の算出

使用するデータ　116 ページ

Step 1

セル「B14」を選択する。

図 7-1

	A	B	C
1		化粧品代(円)	洋服代(円)
2	Aさん	3000	7000
3	Bさん	5000	8000
4	Cさん	12000	25000
5	Dさん	2000	5000
6	Eさん	7000	12000
7	Fさん	15000	30000
8	Gさん	5000	10000
9	Hさん	6000	15000
10	Iさん	8000	20000
11	Jさん	10000	18000
12			
13			
14	単相関係数		

Step 2

メニューバーの「挿入」から「関数」を選択する。

Step 3

「関数の分類」で「統計」を選択し、関数名で「CORREL」を選択する。

Step 4

下図の範囲を選択し、「OK」ボタンを押す。

図 7-2

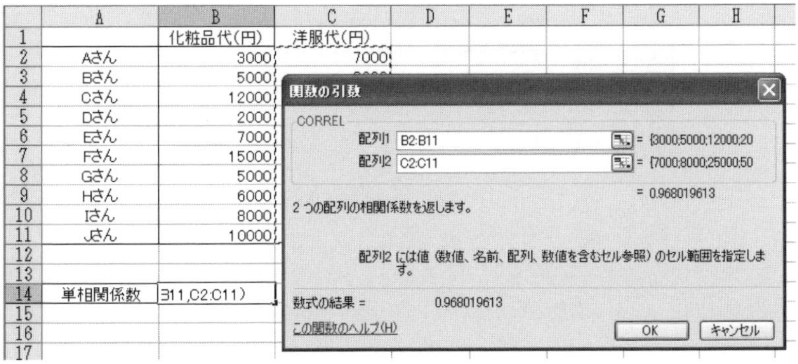

Step 5

計算完了!!

図 7-3

	A	B	C
1		化粧品代(円)	洋服代(円)
2	Aさん	3000	7000
3	Bさん	5000	8000
4	Cさん	12000	25000
5	Dさん	2000	5000
6	Eさん	7000	12000
7	Fさん	15000	30000
8	Gさん	5000	10000
9	Hさん	6000	15000
10	Iさん	8000	20000
11	Jさん	10000	18000
12			
13			
14	単相関係数	0.968019613	

参考

相関比とクラメールの連関係数を求めるための Excel の関数は、残念ながらありません。

8 独立性の検定

使用するデータ　157 ページ

Step 1

セル「B8」を選択する。

図 8-1

	A	B	C	D	E
1		電話で	メールで	直接会って	計
2	女性	34	61	53	148
3	男性	38	40	74	152
4	計	72	101	127	300
5					
6					
7		電話で	メールで	直接会って	
8	女性				
9	男性				
10					
11					
12	P値				

Step 2

セル「B8」に、Wordなどで文章を書くのと同じ要領で「=E2*B4/E4」と書く。まだ「Enter」キーは押さない。

図8-2

	A	B	C	D	E
1		電話で	メールで	直接会って	計
2	女性	34	61	53	148
3	男性	38	40	74	152
4	計	72	101	127	300
5					
6					
7		電話で	メールで	直接会って	
8	女性	=E2*B4/E4			
9	男性				
10					

Step 3

「E2」と書かれている部分を選択したら「F4」キーを3回押し、「E2」が「$E2」になったことを確認する。まだ「Enter」キーは押さない。

図8-3

	A	B	C	D	E
1		電話で	メールで	直接会って	計
2	女性	34	61	53	148
3	男性	38	40	74	152
4	計	72	101	127	300
5					
6					
7		電話で	メールで	直接会って	
8	女性	=$E2*B4/E4			
9	男性				
10					

Step 4

「B4」と書かれている部分を選択したら「F4」キーを2回押し、「B4」が「B$4」になったことを確認する。「E4」と書かれている部分を選択したら「F4」キーを1回押し、「E4」が「E4」になったことを確認したうえで「Enter」キーを押す。

図8-4

	A	B	C	D	E
1		電話で	メールで	直接会って	計
2	女性	34	61	53	148
3	男性	38	40	74	152
4	計	72	101	127	300
5					
6					
7		電話で	メールで	直接会って	
8	女性	=$E2*B$4/E4			
9	男性				
10					

Step 5

セル「B8」を選択し、マウスの先端の矢印をセル「B8」の右下に近づけ、矢印が「黒十字」になったのを確認したら、マウスの左ボタンを押しながらセル「D8」まで引っ張り、左ボタンを離す。

図 8-5

	A	B	C	D	E
1		電話で	メールで	直接会って	計
2	女性	34	61	53	148
3	男性	38	40	74	152
4	計	72	101	127	300
5					
6					
7		電話で	メールで	直接会って	
8	女性	35.52			
9	男性				

Step 6

セル「B8」からセル「D8」までを選択し、マウスの先端の矢印をセル「D8」の右下に近づけ、矢印が「黒十字」になったのを確認したら、マウスの左ボタンを押しながらセル「D9」まで引っ張り、左ボタンを離す。

図 8-6

	A	B	C	D	E
1		電話で	メールで	直接会って	計
2	女性	34	61	53	148
3	男性	38	40	74	152
4	計	72	101	127	300
5					
6					
7		電話で	メールで	直接会って	
8	女性	35.52	49.82666667	62.65333333	
9	男性				

Step 7

セル「B 12」を選択し、メニューバーの「挿入」から「関数」を選択し、「関数の分類」で「統計」を、関数名で「CHITEST」を選択する。

図 8-7

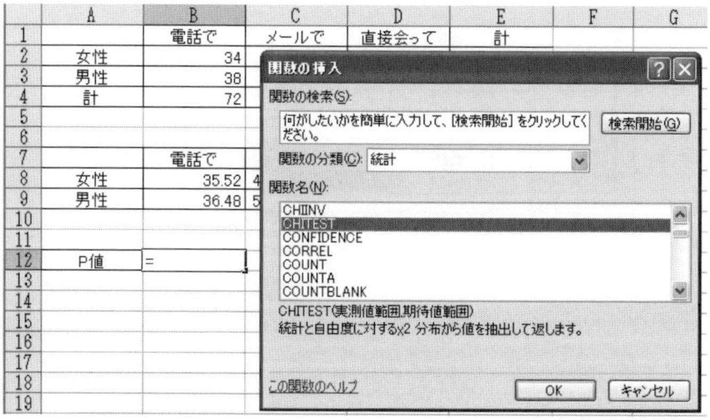

Step 8

下図の範囲を選択し、「OK」ボタンを押す。

図 8-8

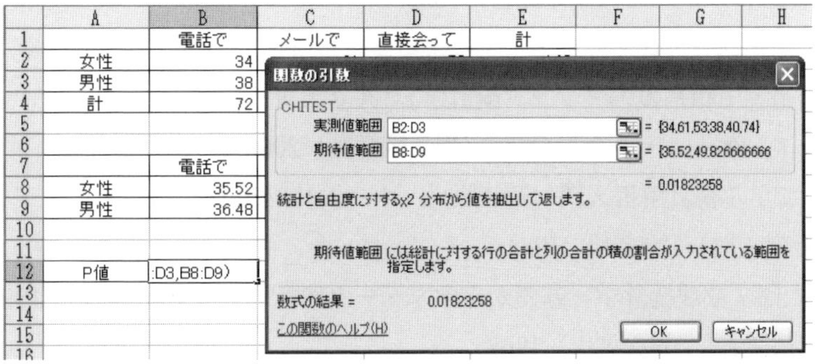

Step 9

計算完了!!（※ 177 ページのＰ値と一致していることを確認してください）

図 8-9

	A	B	C	D	E
1		電話で	メールで	直接会って	計
2	女性	34	61	53	148
3	男性	38	40	74	152
4	計	72	101	127	300
5					
6					
7		電話で	メールで	直接会って	
8	女性	35.52	49.82666667	62.65333333	
9	男性	36.48	51.17333333	64.34666667	
10					
11					
12	P値	0.01823258			

◆参考文献◆

- 石村貞夫『統計解析のはなし』（東京図書）1989
- 内田治/菅民郎/高橋信『EXCEL アドインによる多変量解析』（東京図書）2003
- 仮谷太一『医歯系・生物系のベーシック統計学』（共立出版）1988
- 菅民郎『新版　アンケートデータの分析』（現代数学社）2000
- 菅民郎『Excel で学ぶ統計解析入門（第 2 版）』（オーム社）2003
- 杉山高一『統計学入門』（絢文社）1984
- 鈴木武/山田作太郎『数理統計学－基礎から学ぶデータ解析－』（内田老鶴圃）1996
- 豊田秀樹『調査法講義』（朝倉書店）1998
- 東京大学教養学部統計学教室編『統計学入門』（東京大学出版会）1991
- 東京大学教養学部統計学教室編『自然科学の統計学』（東京大学出版会）1992
- 東京大学教養学部統計学教室編『人文・社会科学の統計学』（東京大学出版会）1994
- 永田靖『統計的方法のしくみ』（日科技連）1996
- 永田靖/棟近雅彦『多変量解析法入門』（サイエンス社）2001
- 野田一雄/宮岡悦良『入門・演習　数理統計』（共立出版）1990
- L.ゴニック/W.スミス（中村和幸　訳）『マンガ　確率・統計が驚異的によくわかる』（白揚社）1995

索 引

＜著者略歴＞

高橋　信（たかはし　しん）

1972年新潟県生まれ。九州芸術工科大学（現 九州大学）大学院芸術工学研究科情報伝達専攻修了。
民間企業でデータ分析業務やセミナー講師業務に従事した後、現在は著述家。
https://www.takahashishin.jp/

＜著書＞

『マンガでわかる統計学【回帰分析編】』（オーム社）
『マンガでわかる統計学【因子分析編】』（オーム社）
『マンガでわかる線形代数』（オーム社）
『やさしい実験計画法』（オーム社）
『入門　信号処理のための数学』（オーム社）
『Excelで学ぶコレスポンデンス分析』（オーム社）
『すぐ読める生存時間解析』（東京図書）
『忙しいアナタのための　レスQ！　医療統計学』（東京図書）
『数字に強くなる　データ分析入門』（PHP研究所）

●制　　作　**株式会社トレンド・プロ**　TREND-PRO
マンガに関わるあらゆる制作物の企画・制作・編集を行う、1988年創業のプロダクション。
日本最大級の実績を誇る。
http://www.ad-manga.com/
東京都港区西新橋1-6-21　NBF虎ノ門ビル9F
TEL: 03-3519-6769　FAX: 03-3519-6110

●シナリオ　re_akino

●作　　画　井上　いろは

マンガでわかる統計学

2004 年 7 月 23 日　　第 1 版第 1 刷発行
2021 年 1 月 15 日　　第 1 版第 27 刷発行

著　者　高橋　信
マンガ制作　トレンド・プロ
発行者　村上和夫
発行所　株式会社 オーム社
郵便番号　101-8460
東京都千代田区神田錦町 3-1
電 話　03(3233)0641(代表)
URL　https://www.ohmsha.co.jp/

印刷・製本　壮光舎印刷
ISBN978-4-274-06570-5　Printed in Japan

好評関連書籍

マンガで統計をわかりやすく解説！

- ●高橋 信／著
- ●トレンド・プロ／マンガ制作
- ●B5変・224頁
- ●定価(本体2,000円【税別】)

回帰分析の基本からロジスティック回帰分析までやさしく解説！

- ●高橋 信／著
- ●井上 いろは／作画
- ●トレンド・プロ／制作
- ●B5変・224 頁
- ●定価(本体 2,200 円【税別】)

因子分析の基礎から応用までマンガと文章と例題でわかる！

- ●高橋 信／著
- ●井上 いろは／作画
- ●トレンド・プロ／制作
- ●B5変・248 頁
- ●定価(本体 2,200 円【税別】)

統計学の基礎知識と効果的な研究資料作成のコツがわかる！

- ●田久 浩志・小島 隆矢／共著
- ●こやま けいこ／作画
- ●ビーコム／制作
- ●B5・272 頁
- ●定価(本体 2,200 円【税別】)

【マンガでわかるシリーズ・既刊好評発売中！】

統計学 / 統計学 回帰分析編 / 統計学 因子分析編 / 虚数・複素数 / 微分方程式 / 微分積分 / 線形代数 / フーリエ解析 / 物理 力学編 / 物理 光・音・波編 / 量子力学 / 相対性理論 / 宇 宙 / 電気数学 / 電気 / 電気回路 / 電子回路 / ディジタル回路 / 電磁気学 / 発電・送配電 / 電 池 / 半導体 / 電気設備 / 熱力学 / 材料力学 / 流体力学 / シーケンス制御 / モーター / 測 量 / コンクリート / 土質力学 / CPU / プロジェクトマネジメント / データベース / 暗 号 / 有機化学 / 生化学 / 分子生物学 / 免疫学 / 栄養学 / 基礎生理学 / ナースの統計学 / 社会学

もっと詳しい情報をお届けできます.
◎書店に商品がない場合または直接ご注文の場合も右記宛にご連絡ください.

ホームページ https://www.ohmsha.co.jp/
TEL／FAX TEL.03-3233-0643 FAX.03-3233-3440

(定価は変更される場合があります)